KAKURO

for Beginners

YUKIO SUZUKI

Arcturus Publishing Limited
26/27 Bickels Yard
151–153 Bermondsey Street
London SE1 3HA

Published in association with
foulsham
W. Foulsham & Co. Ltd,
The Publishing House, Bennetts Close, Cippenham,
Slough, Berkshire SL1 5AP, England

ISBN-13: 978-0-572-03258-6
ISBN-10: 0-572-03258-7

This edition printed in 2006

British Library Cataloguing-in-Publication Data: a catalogue record for this book is available from the British Library

Printed in England by J. H. Haynes & Co. Ltd, Nr Yeovil, Somerset

CONTENTS

HOW TO SOLVE KAKURO

Fill the grid so that each block adds up to the total in the box above or to the left of it. You can only use the digits 1-9 and you must not use the same digit twice in a block. (The same digit may occur more than once in a row or column, but it must be in a separate block.)

Let's walk through a puzzle, touching on the general principles.

In the beginning, look out for two things:

a) sums that are made up of unique digit answers (UDAs). See the table on page 6.

b) sums that are comprised of few cells.

Step One

On the right-hand side of the puzzle are two intersecting sums which are made up of two cells. The horizontal sum must add up to four. It can't be 2 and 2, because you can't repeat a digit in a sum, so it must be 1 and 3. But what's the order?

The vertical sum must add up to three, so is made up of 1 and 2. The only digit in both answers is a 1, so this must go in the intersecting cell - and this determines the positions of the 2 and 3.

Step Two

There is a 2 on the horizontal line that must add up to ten. That line is intersected by a sum that must add up to three. We can't have another two in the horizontal line.

As the only combination for the three sum is 2 and 1, this means the intersecting cell must be a 1. The horizontal line beneath it also adds up to three and can be completed, too.

Step Three

On the horizontal line that totals ten, we have a 1 and a 2. The remaining two cells add up to 7. There are three possible combinations:
1 and 6, 2 and 5, 3 and 4. We already have a 1 and 2 on the line, so the only available pair is 3 and 4.

The empty cell between the 1 and the 2 intersects with a sum which already contains a 3, so this cell must hold the 4. This means we can complete both the horizontal ten sum and the intersecting ten sum.

Step Four

On the left-hand side are two more sums that are made up of two cells: the vertical sum is fourteen and the intersecting horizontal sum is six.

The only combinations for fourteen are 9 and 5, and 8 and 6. The only possible digit that can intersect with the six sum is the 5.

Once you've placed the 5, the other digits that make up the sums can be fitted in.

		11\			
	14\5			10\	
\17	9			2	3\
\6	5	1	3\4	3	1
	\10	3	1	4	2
		\3	2	1	

Step Five

The horizontal line at the top of the puzzle has a five sum. The only two combinations are 1 and 4, and 2 and 3. As 1 and 3 appear already in the intersecting eleven sum, the only possible digits are 2 and 4. If it was a 4, the remaining digit in the eleven sum would be a 3, but there's a 3 in that sum already, so the horizontal sum must be 2 and 3, in that order.

To finish the puzzle: 1 completes the vertical four sum and a 5 completes the vertical eleven sum.

		11\	4\		
	14\5	2	3	10\	
\17	9			2	3\
\6	5	1	3\4	3	1
	\10	3	1	4	2
		\3	2	1	

Unique Digit Answers

For certain sums, only one combination of digits is possible. Here's a useful table of Unique Digit Answers. Look out for these in the puzzles that follow. They'll be a great help to you.

Sum	Numbers
3	1 • 2
4	1 • 3
16	7 • 9
17	8 • 9
6	1 • 2 • 3
7	1 • 2 • 4
23	6 • 8 • 9
24	7 • 8 • 9
10	1 • 2 • 3 • 4
11	1 • 2 • 3 • 5
29	5 • 7 • 8 • 9
30	6 • 7 • 8 • 9
15	1 • 2 • 3 • 4 • 5
16	1 • 2 • 3 • 4 • 6
34	4 • 6 • 7 • 8 • 9
35	5 • 6 • 7 • 8 • 9
21	1 • 2 • 3 • 4 • 5 • 6
22	1 • 2 • 3 • 4 • 5 • 7
38	3 • 5 • 6 • 7 • 8 • 9
39	4 • 5 • 6 • 7 • 8 • 9
28	1 • 2 • 3 • 4 • 5 • 6 • 7
29	1 • 2 • 3 • 4 • 5 • 6 • 8
41	2 • 4 • 5 • 6 • 7 • 8 • 9
42	3 • 4 • 5 • 6 • 7 • 8 • 9
36	1 • 2 • 3 • 4 • 5 • 6 • 7 • 8
37	1 • 2 • 3 • 4 • 5 • 6 • 7 • 9
38	1 • 2 • 3 • 4 • 5 • 6 • 8 • 9
39	1 • 2 • 3 • 4 • 5 • 7 • 8 • 9
40	1 • 2 • 3 • 4 • 6 • 7 • 8 • 9
41	1 • 2 • 3 • 5 • 6 • 7 • 8 • 9
42	1 • 2 • 4 • 5 • 6 • 7 • 8 • 9
43	1 • 3 • 4 • 5 • 6 • 7 • 8 • 9
44	2 • 3 • 4 • 5 • 6 • 7 • 8 • 9
45	1 • 2 • 3 • 4 • 5 • 6 • 7 • 8 • 9

\	\	30\	16\	\	\	\	\	4\	10\	\
\	23\17			10\	\	\	6\3			7\
\30					3\	4\10				
\16			20\10					11\4		
\23				4\3			3\11			
\	\	\4			\	\4			\	\
\	23\	30\3			3\	4\3			10\	7\
\23				14\4			4\7			
\16			16\11					4\4		
\30					\	\10				
\	\17			\	\	\	\3			\

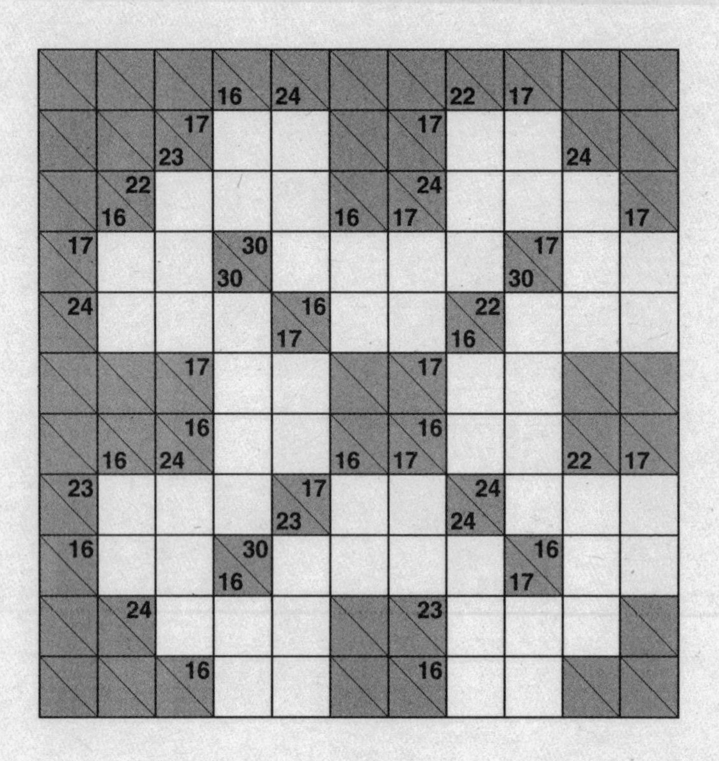

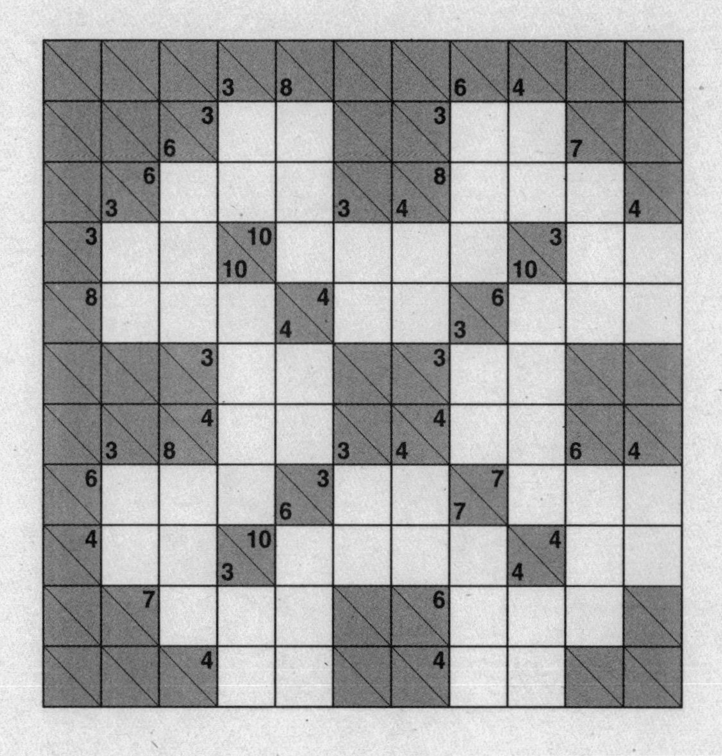

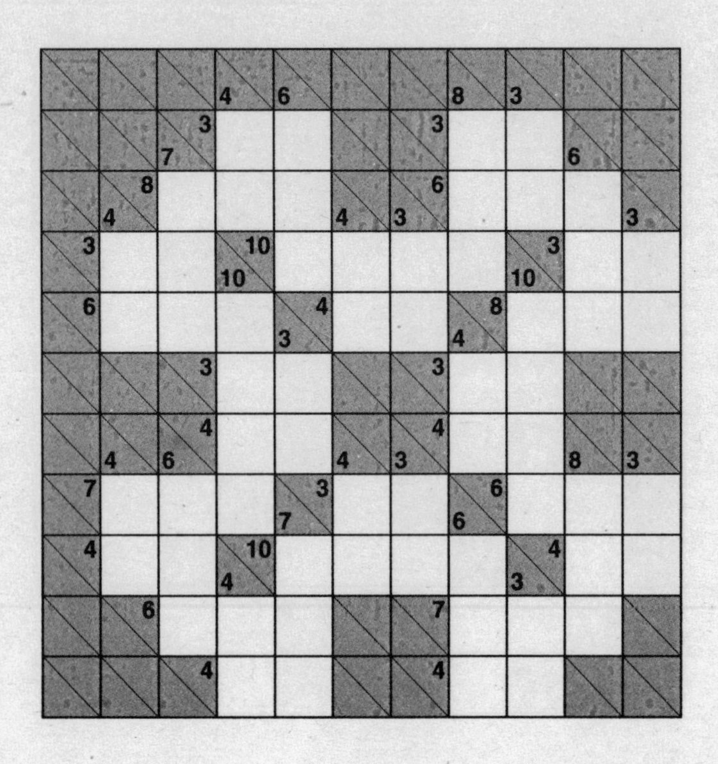

■	■	30\	16\	■	■	■	■	4\	10\	■
■	23\17			15\	■	■	3\3			7\
\30					17\	16\10				
\16			29\26					19\4		
\19				16\16			17\7			
■	■	\17			■	\17			■	■
■	23\	30\16			17\	16\16			10\	7\
\22				17\17			3\7			
\16			16\25					4\4		
\30					■	\10				
■	\17			■	■	■	\3			■

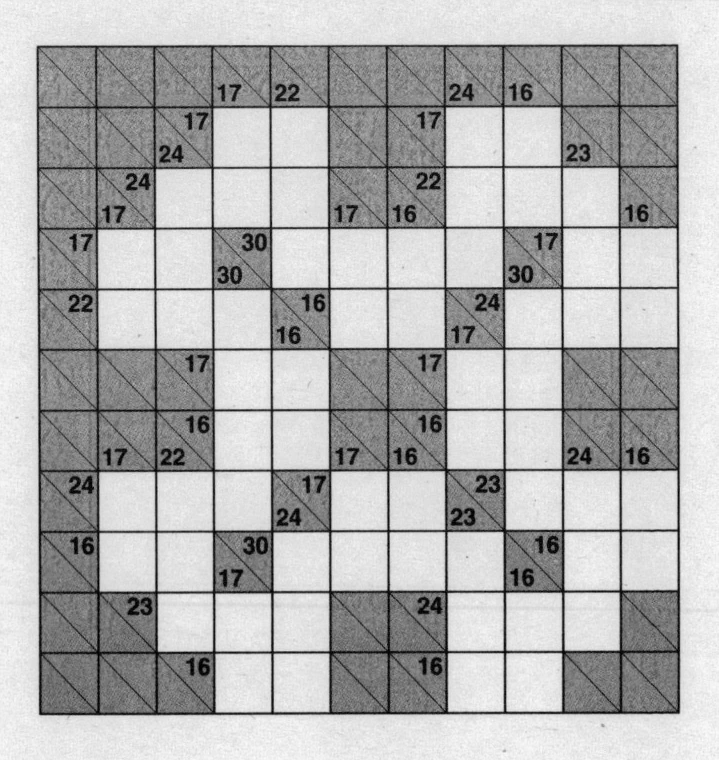

■	■	10\	4\	■	■	■	■	4\	10\	■
■	7\3			5\	■	■	3\3			7\
\10					16\	17\10				
\4			19\21					20\4		
\7				17\16			16\7			
■	■	\17			■	\17			■	■
■	7\	10\16			16\	17\16			10\	7\
\7				4\17			3\7			
\4			4\21					4\4		
\10					■	\10				
■	\3			■	■	■	\3			■

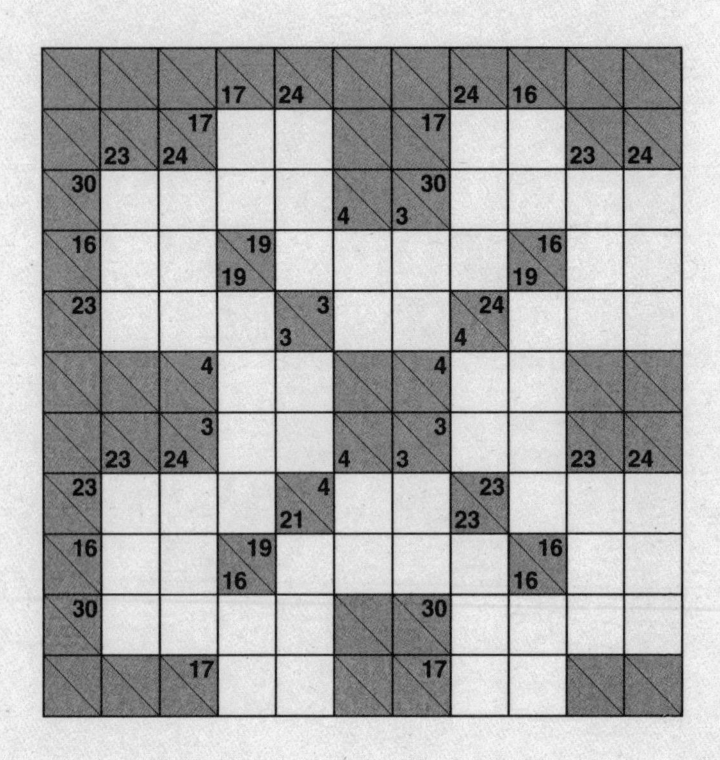

■	7\	25\	4\	■	■	■	■	4\	13\	7\
\6				15\	■	■	3\7			
\24					16\	17\13				
\6			30\25					21\3		
■	\14			17\16			16\4			■
■	■	\17			■	\17			■	■
■	■	29\16			16\	17\16			13\	■
■	23\17			17\17			4\5			7\
\16			16\25					3\4		
\29					■	\13				
\23				■	■	■	\7			

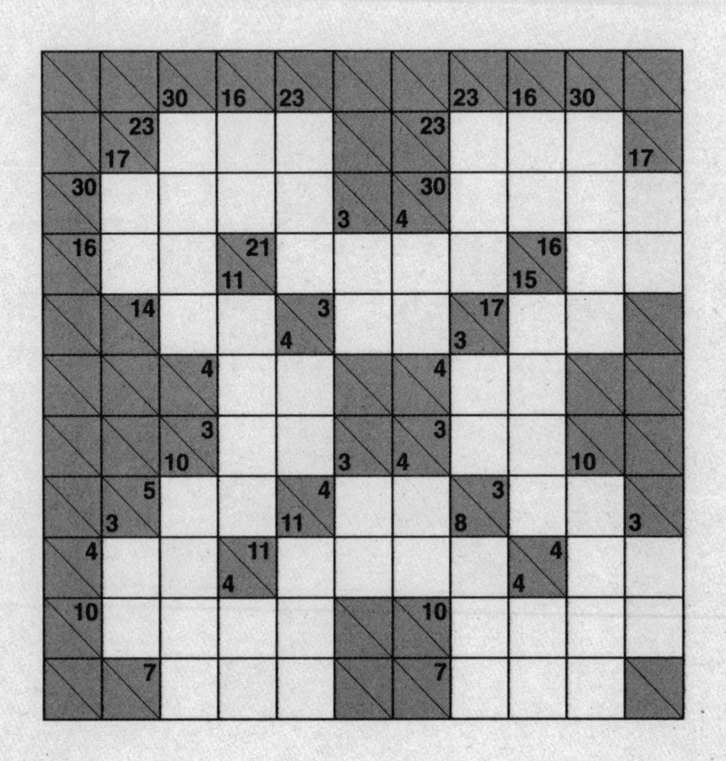

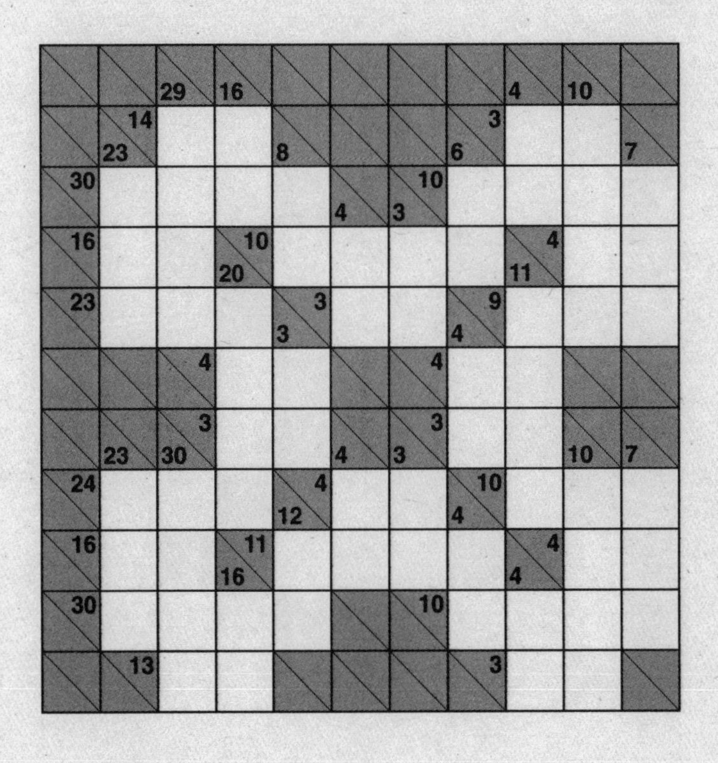

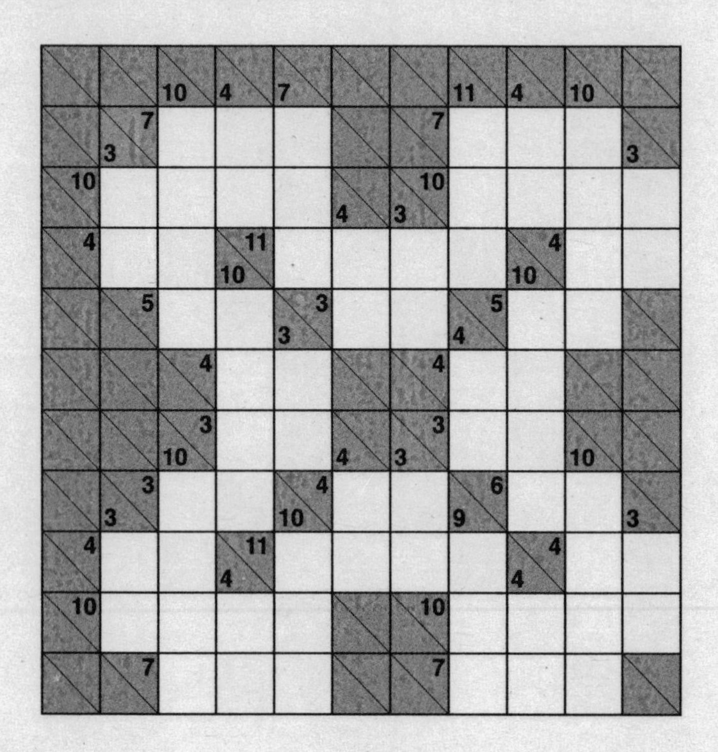

■	■	30\	17\	24\	■	■	23\	17\	30\	■
■	\23				■	\23				■
■	17\24				3\	4\24				16\
\17			18\21					21\17		
\24				4\3			3\22			
■	■	\4			■	\4			■	■
■	17\	30\3			3\	4\3			30\	16\
\24				24\4			23\21			
\16			17\20					17\17		
■	\23				■	\23				■
■	\24				■	\24				■

		30	16	23			21	16	29	
	23 \ 23					23				23
30					16	17 \ 30				
16			30 \ 30					29 \ 16		
23				17 \ 16			16 \ 20			
		17				17				
	23	30 \ 16			16	17 \ 16			10	7
23				23 \ 17			7 \ 10			
16			16 \ 26					4 \ 4		
30						10				
	23					7				

■	■	■	↓17	↓24	■	■	↓24	↓16	■	■
■	↓23	↓24 →17			■	→17			↓23	↓24
→30					↓3	↓4 →30				
→17			↓20 →19					↓21 →17		
→24				↓4 →3			↓3 →24			
■	■	→4			■	→4			■	■
■	↓23	↓24 →3			↓3	↓4 →3			↓23	↓24
→23				↓21 →4			↓22 →23			
→17			↓17 →20					↓17 →17		
→30					■	→30				
■	■	→16			■	→16			■	■

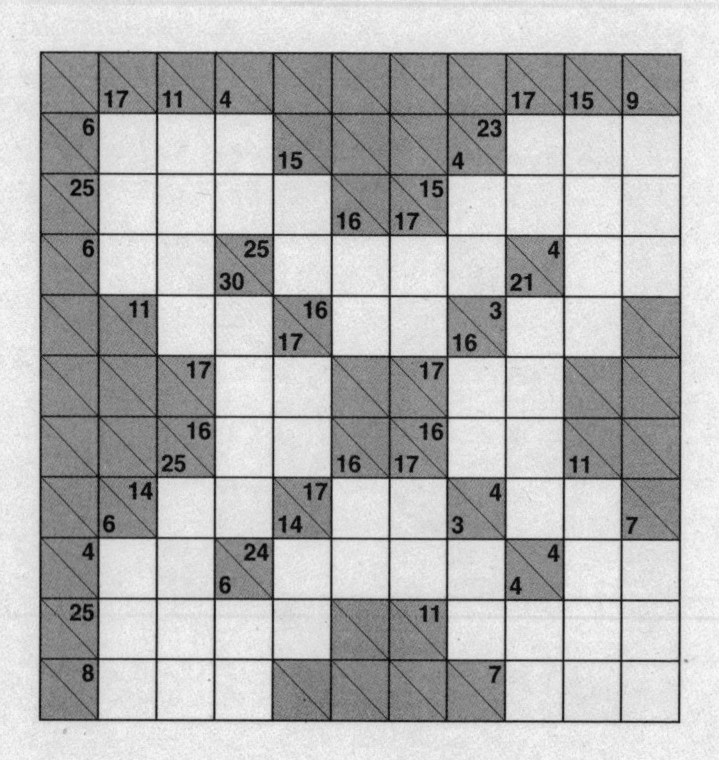

■	■	10\	4\	10\	■	■	9\	4\	10\	■
■	3\7				■	\7				3\
\10					4\	3\10				
\4			14\11					11\4		
■	\3			3\4			4\5			■
■	■	\3			■	\3			■	■
■	■	30\4			4\	3\4			30\	■
■	17\17			23\3			23\13			17\
\16			16\21					16\16		
\30					■	\30				
■	\23				■	\23				■

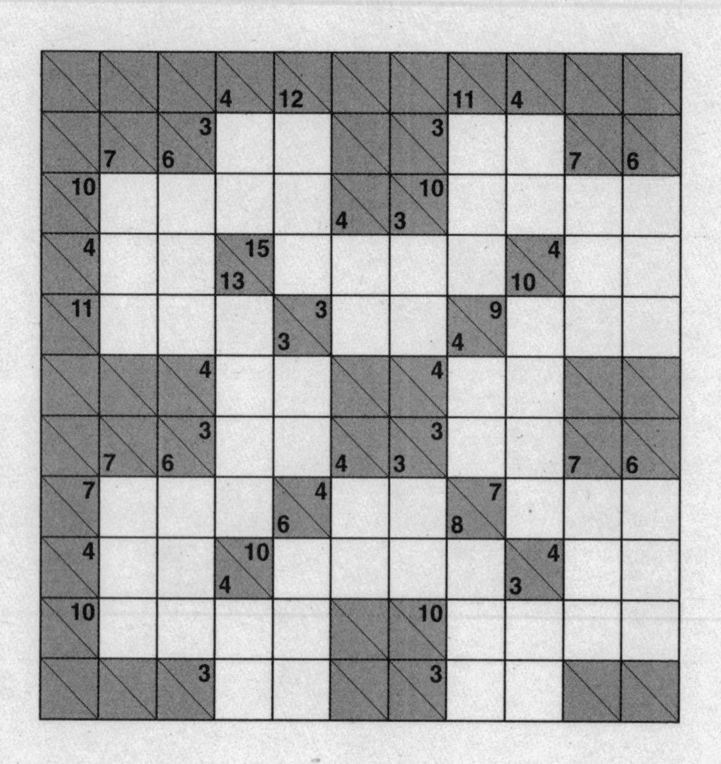

		10\	3\	9\			8\	3\	10\	
	6\7					\7				7\
\11					3\	4\10				
\3			15\10					11\4		
	\7			4\4			3\5			
		\3				\3				
		30\4			3\	4\4			30\	
	17\17			23\3			23\14			17\
\16			16\21					16\16		
\30						\30				
	\23					\23				

\	\	29\	17\	\	\	\	\	17\	30\	\
\	23\14			11\	\	\	13\16			24\
\30					16\	17\30				
\17			29\29					30\17		
\19				17\16			16\21			
\	\	\17			\	\17			\	\
\	23\	30\16			16\	17\16			28\	24\
\24				13\17			17\22			
\17			16\30					16\17		
\30					\	\30				
\	\13			\	\	\	\14			\

\	\	\	16\	18\	\	\	19\	16\	\	\
\	23\	24\17			\	\17			23\	24\
\30					17\	16\30				
\16			29\25					27\16		
\19				16\17			17\19			
\	\	\16			\	\16			\	\
\	23\	24\17			17\	16\17			23\	24\
\24				22\16			24\23			
\16			17\30					16\16		
\30					\	\30				
\	\	\17			\	\17			\	\

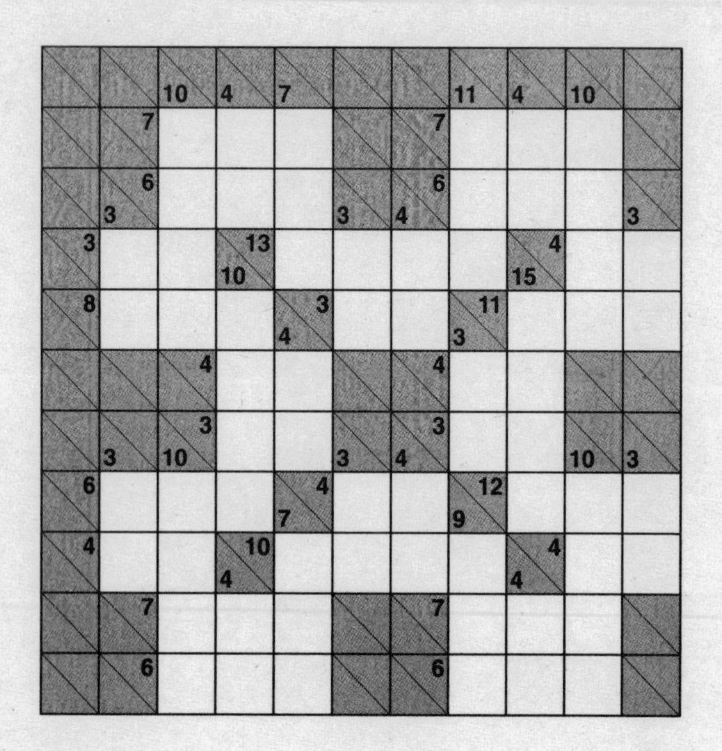

\	\	28\	16\	\	\	\	\	16\	30\	\
\	24\14			16\	\	\	13\13			23\
\30					16\	17\30				
\17			29\30					30\17		
\24				17\16			16\22			
\	\	\17			\	\17			\	\
\	24\	30\16			16\	17\16			29\	23\
\19				11\17			14\21			
\17			17\29					17\17		
\30					\	\30				
\	\16			\	\	\	\14			\

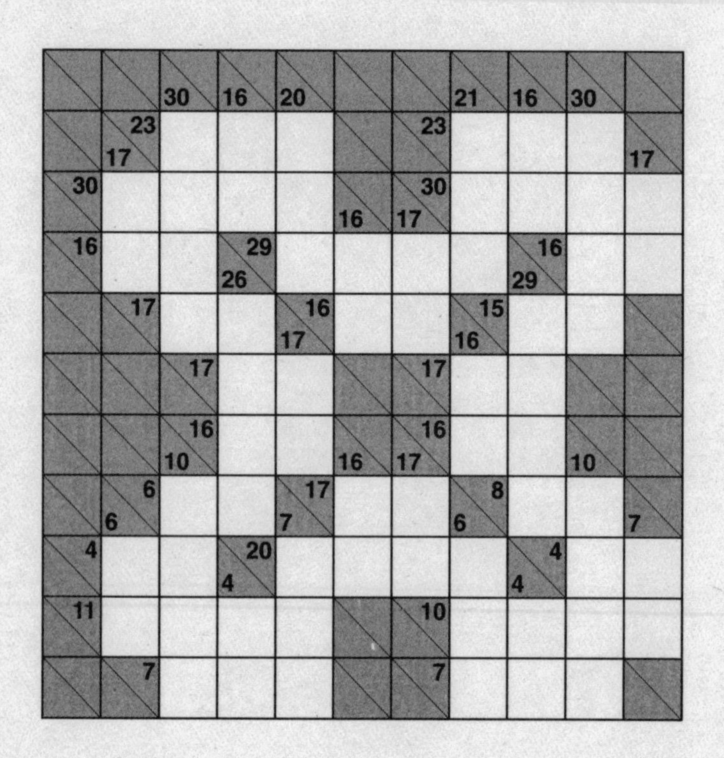

■	■	↓10	↓3	↓7	■	■	↓6	↓3	↓10	■
■	↓23 →7				■	→7				↓7
→14					↓16	↓17 →10				
→13			↓30 →20					↓27 →4		
→16				↓17 →16			↓16 →6			
■	■	→17			■	→17			■	■
■	↓23	↓30 →16			↓16	↓17 →16			↓30	↓24
→23				↓23 →17			↓22 →24			
→16			↓16 →30					↓17 →16		
→30					■	→28				
■	→23				■	→24				■

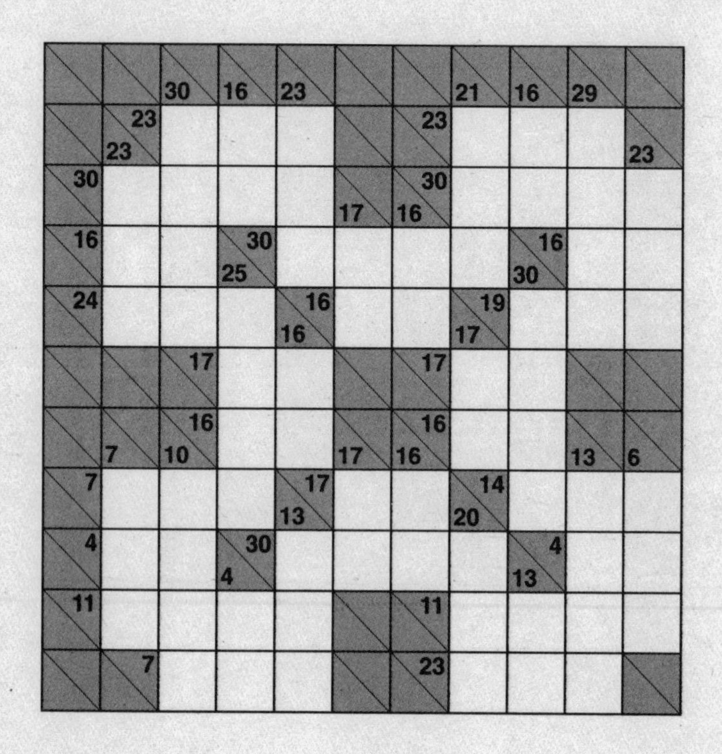

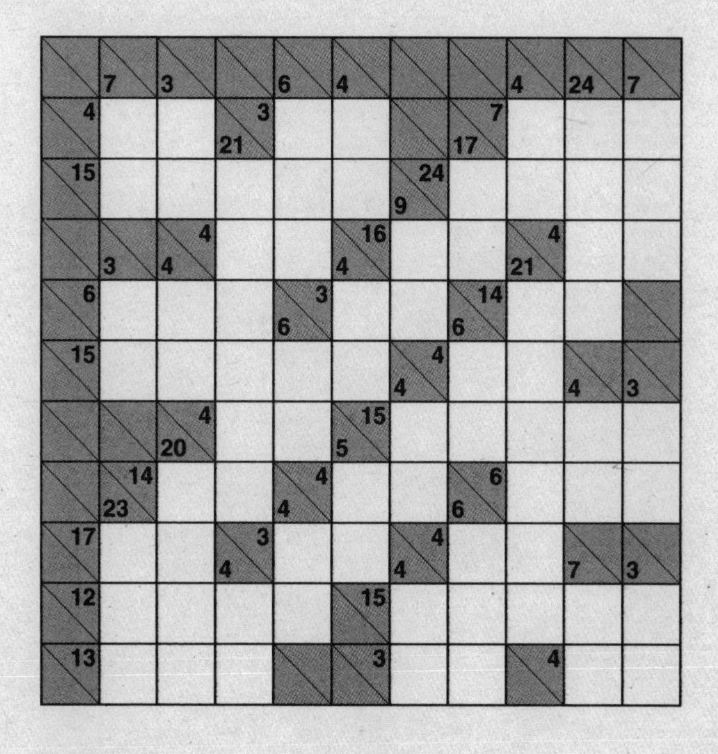

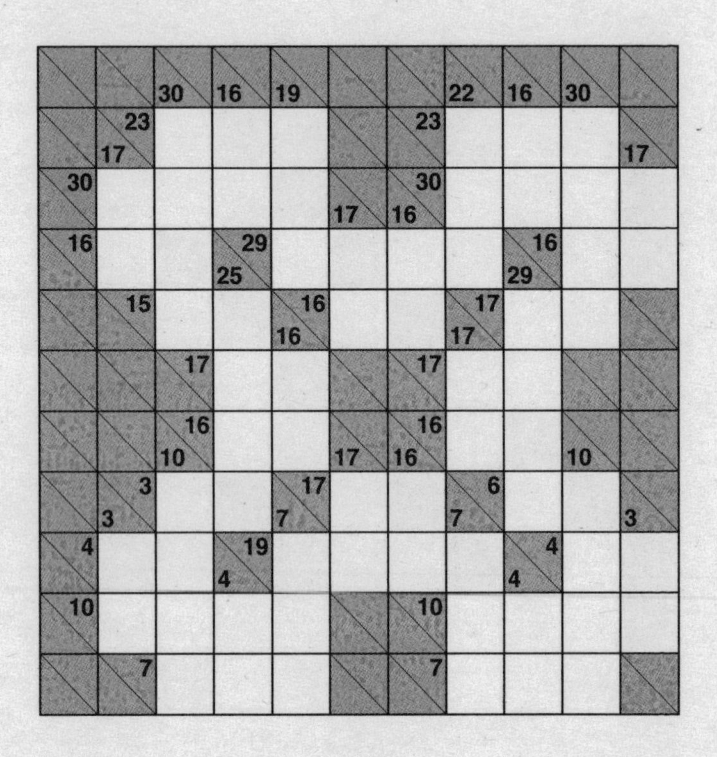

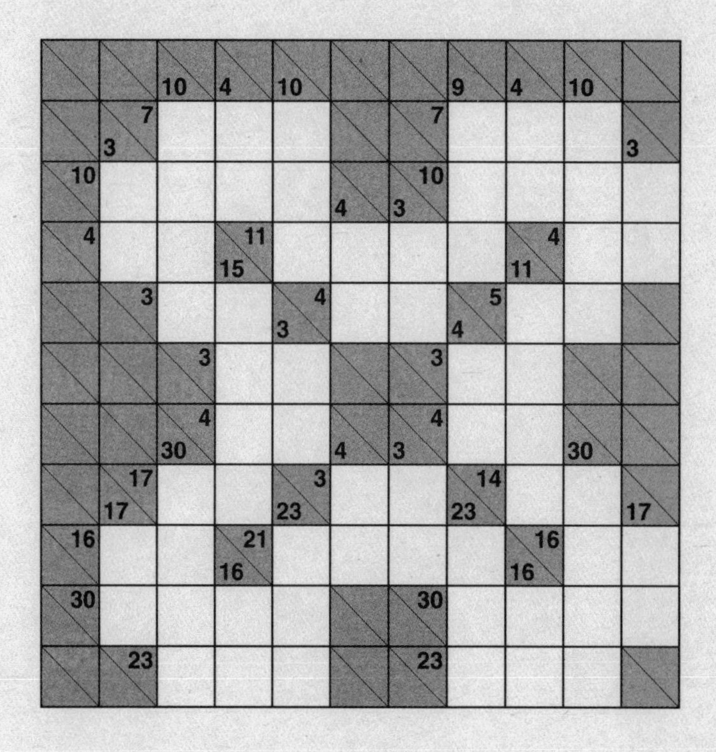

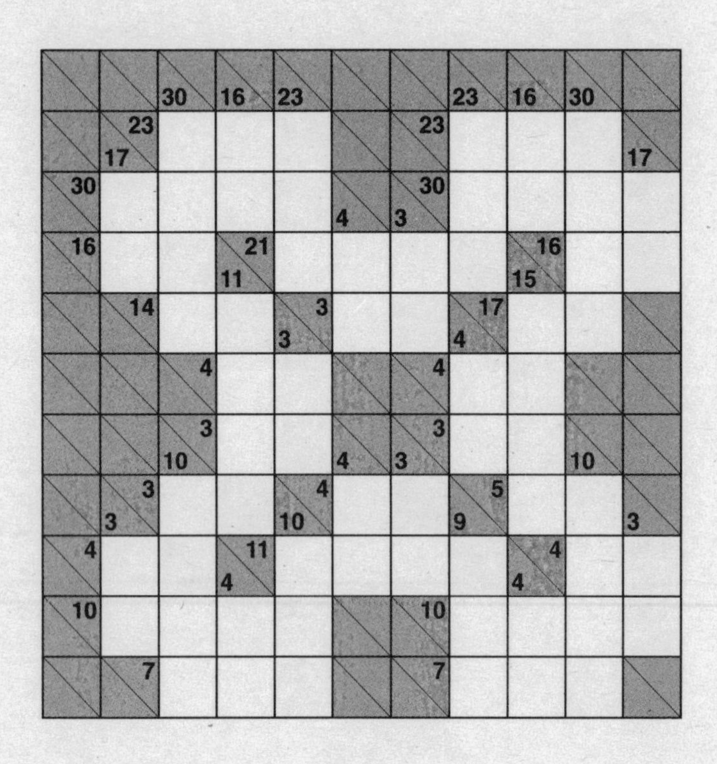

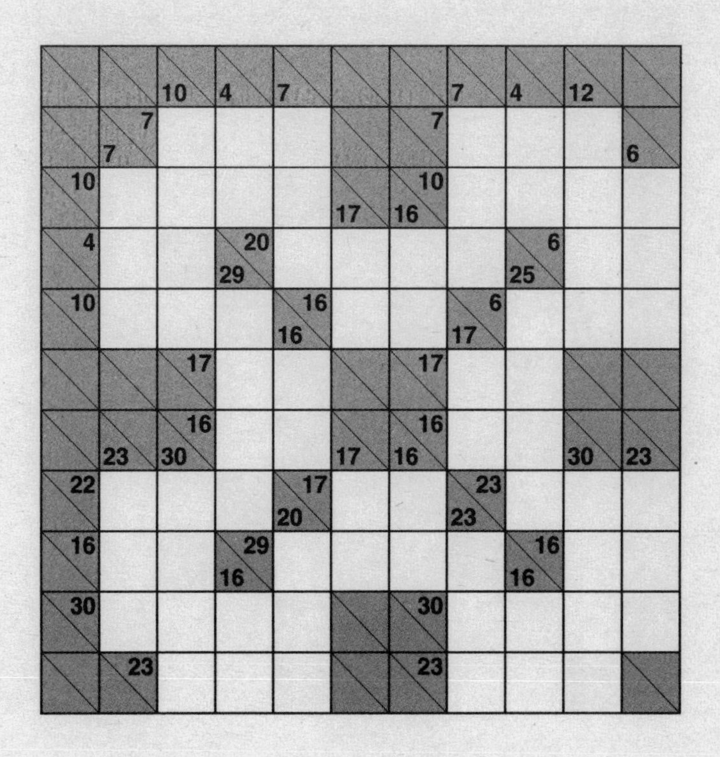

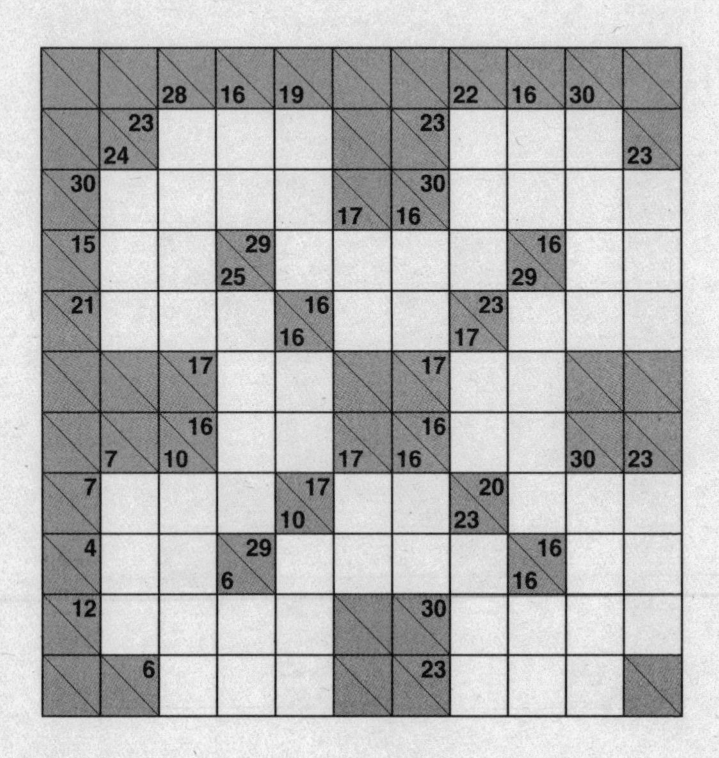
28
16
19
22
16
30
23
24
23
23
30
30
17
16
15
29
25
16
29
21
16
16
23
17
17
17
16
7
10
16
17
16
30
23
7
17
10
20
23
4
29
6
16
16
12
30
6
23

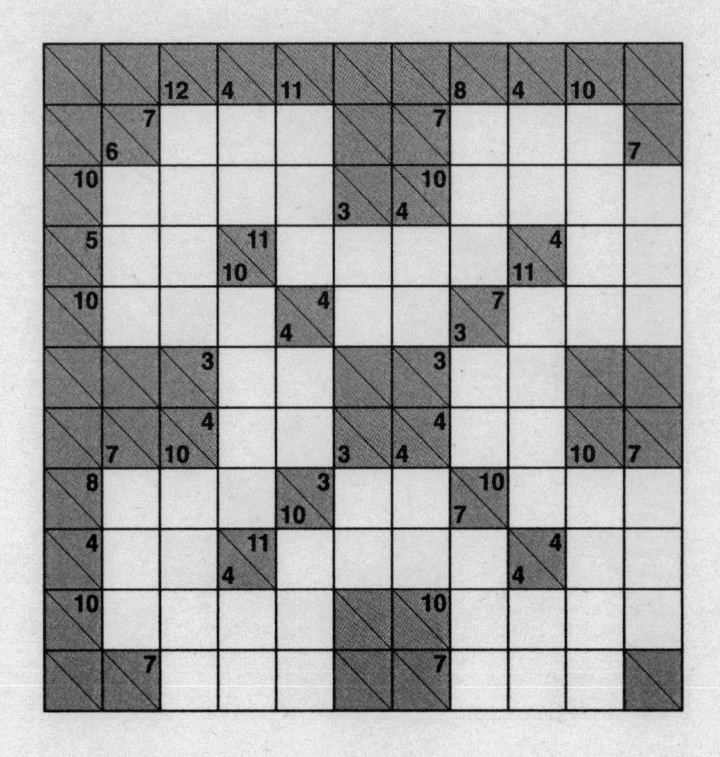

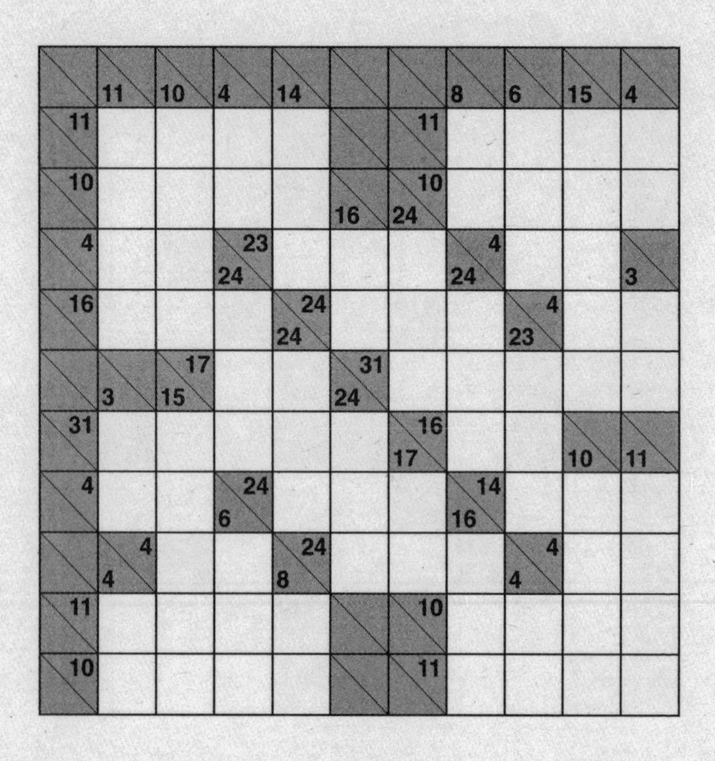

		10\	4\	7\			11\	4\	12\	
	7\7					\7				6\
\10					4\	3\10				
\4			11\11					11\5		
\10				3\3			4\9			
		\4				\4				
	7\	10\3			4\	3\3			10\	7\
\7				10\4			9\11			
\4			4\11					5\4		
\10						\12				
	\7					\6				

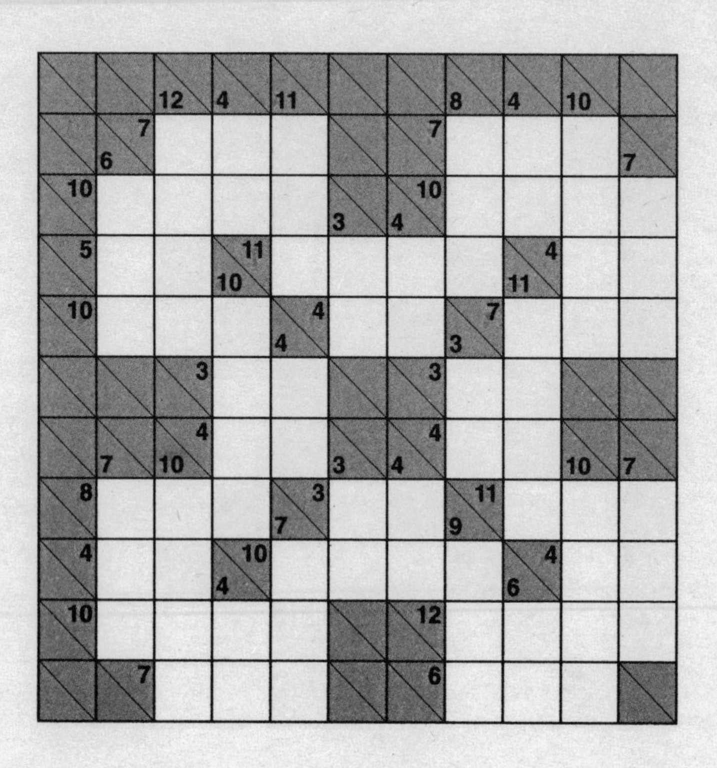

■	■	↓10	↓4	↓7	■	■	↓7	↓4	↓12	■
■	↓7 →7				■	→7				↓6
→10					↓16	↓17 →10				
→4			↓29 →20					↓26 →5		
→10				↓17 →16			↓16 →8			
■	■	→17			■	→17			■	■
■	↓23	↓30 →16			↓16	↓17 →16			↓30	↓23
→23				↓20 →17			↓22 →21			
→16			↓16 →29					↓15 →16		
→30					■	→28				
■	→23				■	→24				■

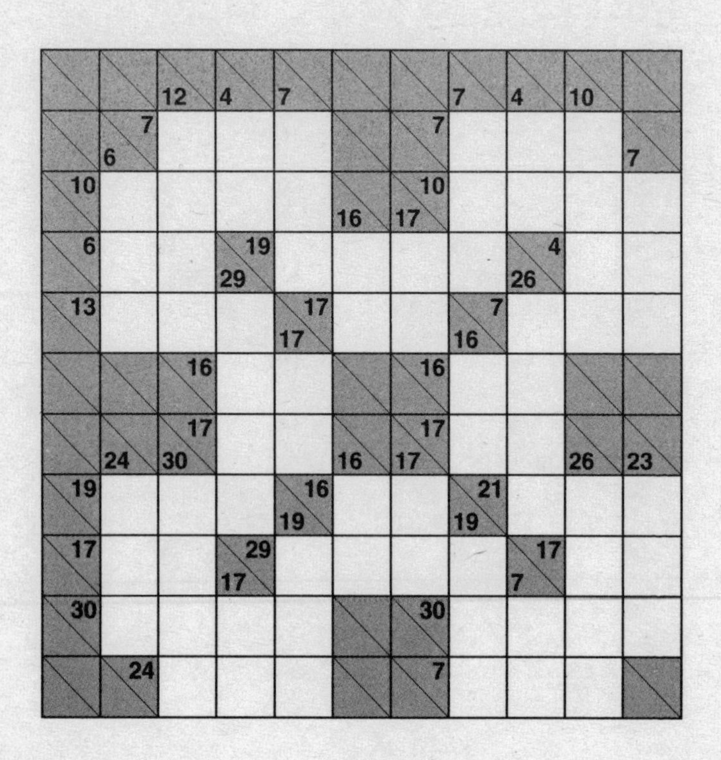

\	\	28\	16\	23\	\	\	23\	16\	30\	\
\	24\23				\	\23				23\
\30					4\	3\30				
\15			21\20					18\16		
\22				3\4			4\23			
\	\	\3			\	\3			\	\
\	23\	30\4			4\	3\4			30\	23\
\23				24\3			23\22			
\16			14\21					16\16		
\28					\	\30				
\	\24				\	\23				\

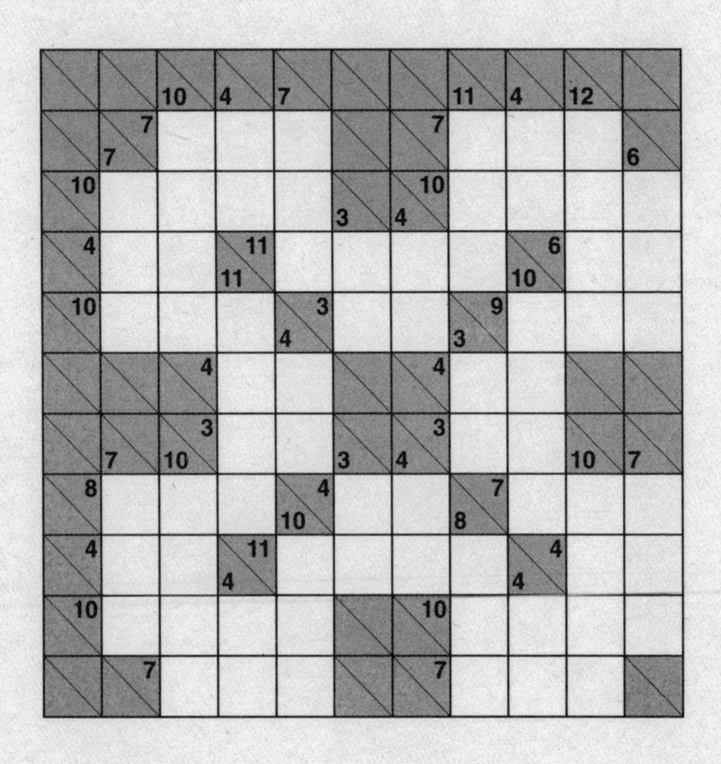

\	\	30\	16\	23\	\	\	23\	16\	28\	\
\	23\23				\	\23				24\
\30					4\	3\30				
\16			19\21					15\14		
\22				3\3			4\24			
\	\	\4			\	\4			\	\
\	23\	30\3			4\	3\3			10\	7\
\23				23\4			8\6			
\16			16\15					3\4		
\30					\	\10				
\	\23				\	\7				\

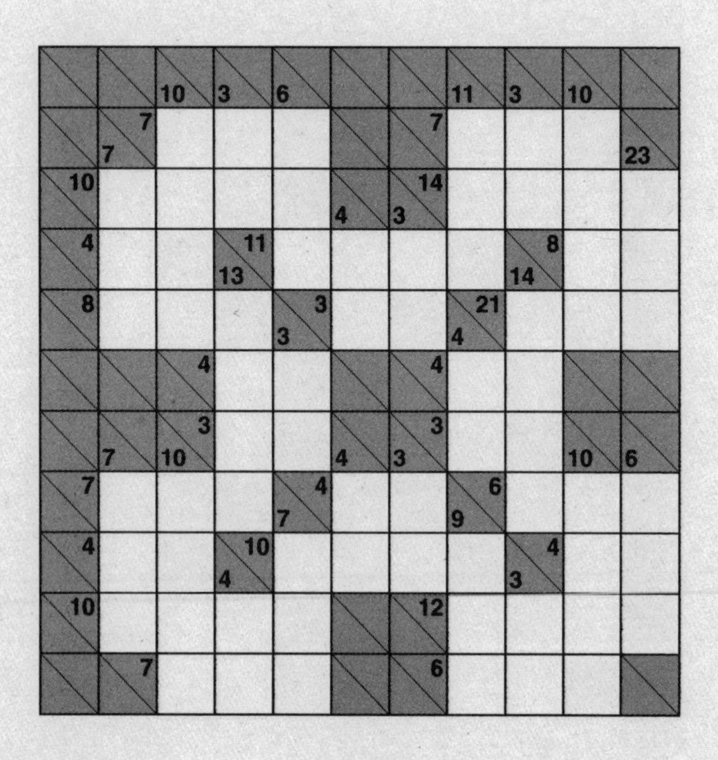

\	\	12\	4\	7\	\	\	7\	4\	10\	\
\	6\7				\	\7				7\
\10					17\	16\10				
\5			30\19					23\4		
\12				16\17			17\7			
\	\	\16			\	\16			\	\
\	24\	27\17			17\	16\17			30\	23\
\21				12\16			20\19			
\16			9\29					16\16		
\30					\	\29				
\	\7				\	\23				\

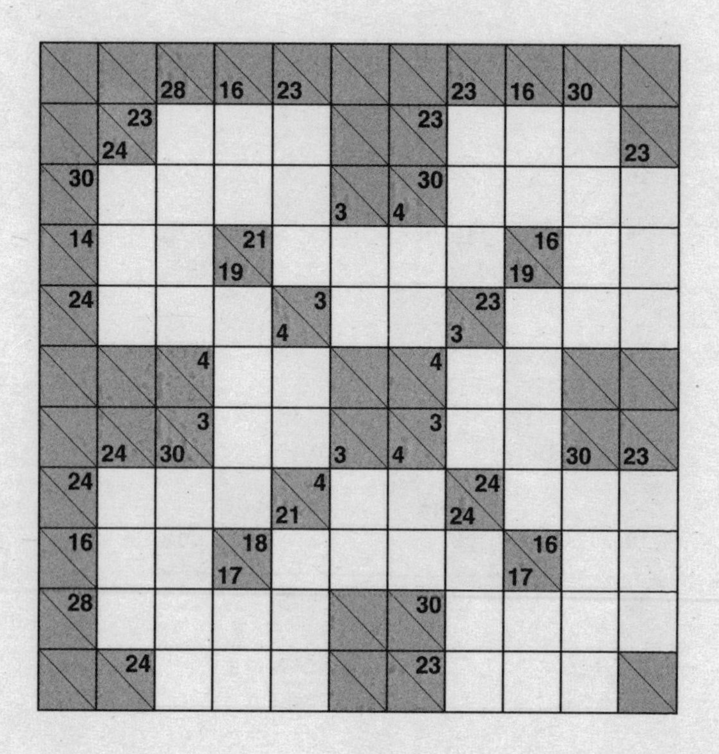

■	6\	10\	4\	12\	■	■	10\	4\	10\	7\
\10					■	\10				
\11					4\	3\11				
\4			10\10					10\4		
■	\7			3\3			4\7			■
■	■	\4			■	\4			■	■
■	■	10\3			4\	3\3			10\	■
■	7\6			22\4			21\7			6\
\4			4\20					4\4		
\16					■	\14				
\11					■	\11				

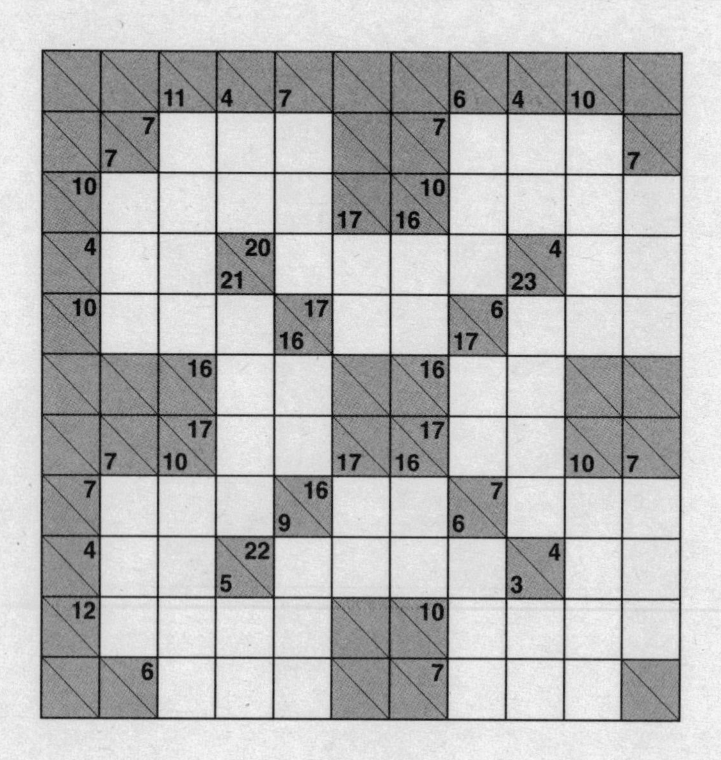

	↓24	↓29	↓16					↓16	↓30	↓29
→24				↓13			↓13 →23			
→30					↓17	↓16 →30				
→16			↓30 →30					↓30 →16		
→13				↓16 →16			↓17 →20			
		→17				→17				
	↓29	↓30 →16			↓17	↓16 →16			↓29	↓30
→18				↓11 →17			↓15 →18			
→16			↓16 →29					↓16 →16		
→30						→30				
→23							→24			

\	\	30\	16\	23\	\	\	19\	16\	28\	\
\	23\23				\	\23				24\
\30					17\	16\30				
\16			25\29					29\15		
\22				16\17			17\22			
\	\	\16			\	\16			\	\
\	7\	10\17			17\	16\17			30\	23\
\7				12\16			21\19			
\4			5\30					15\16		
\12					\	\28				
\	\6				\	\24				\

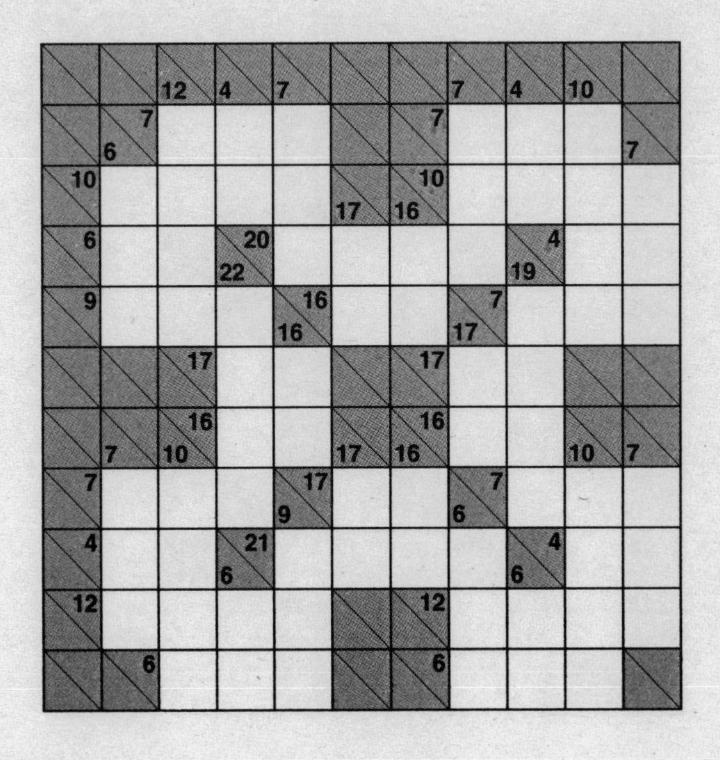

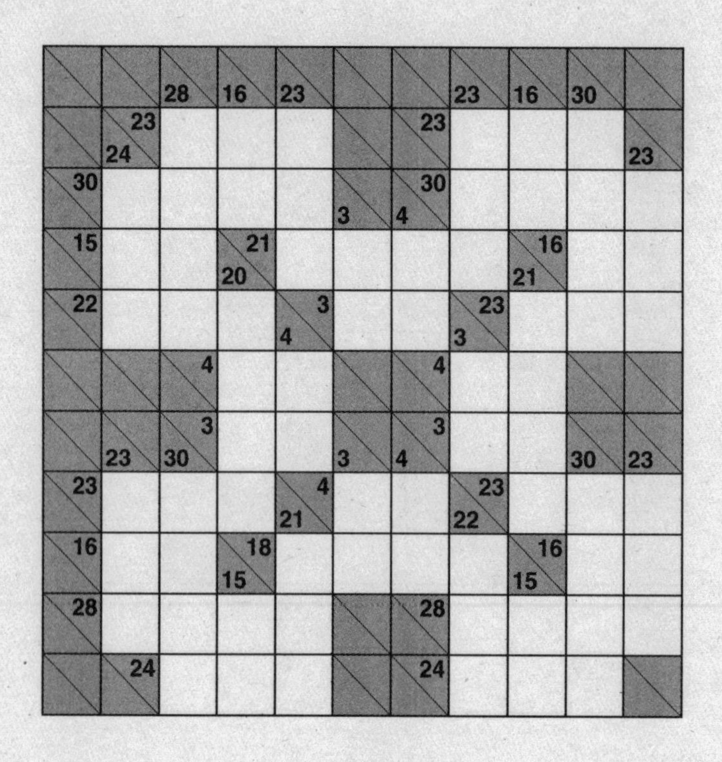

		28\	16\		20\	4\		30\	16\	17\
	16\14			\4			13\23			
\24				29\33						
\16			17\17			14\16			16\	17\
	\35						29\24			
	16\	17\14			14\16			16\16		
\17			10\17			30\14			27\	
\17				6\35						17\
	4\	3\4			16\16			17\17		
\29							\24			
\6				\13			\14			

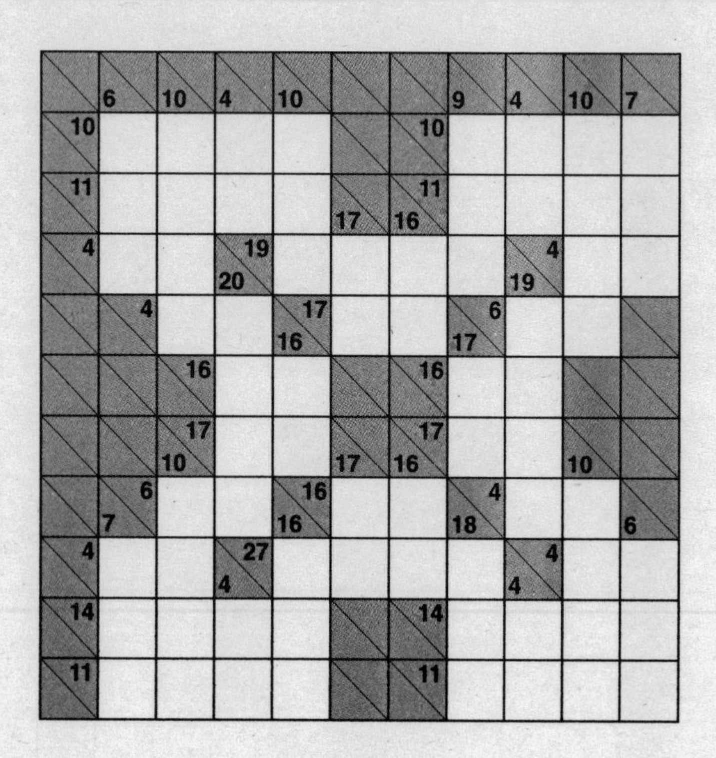

\	28\	26\	14\	16\	\	\	21\	14\	28\	26\
\29					\	\29				
\30					24\	23\30				
\4			\27					\4		
\3			19\	\16			\	20\3		
\21				4\17			3\23			
\	\	\4			\	\4			\	\
\	26\	28\3			23\	24\3			26\	28\
\23				\17			\21			
\3			\	21\16			23\	\3		
\4			4\30					4\4		
\26					\	\24				
\25					\	\27				

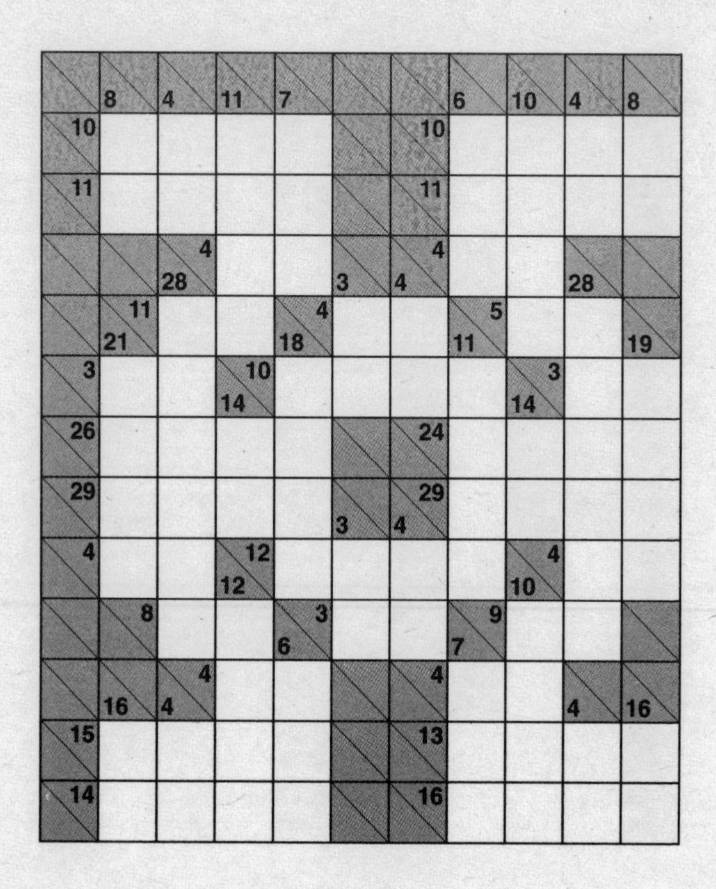

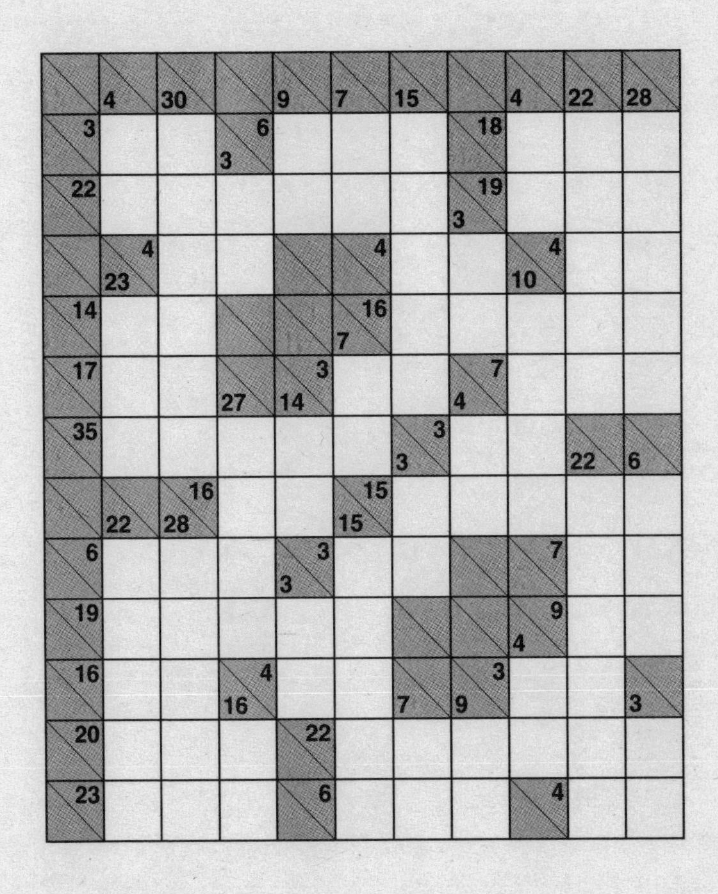

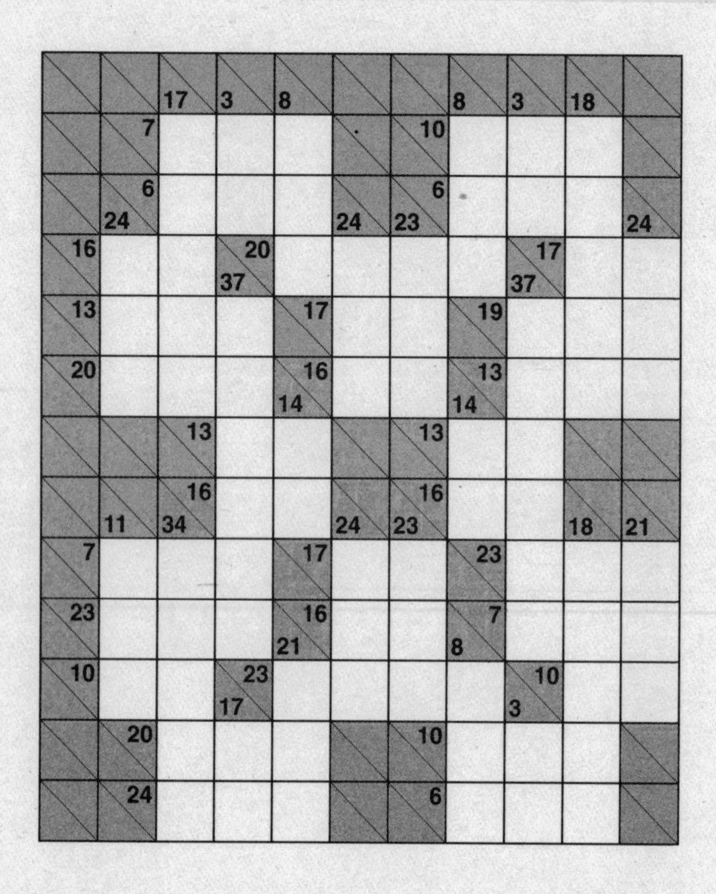

\	13\	18\	23\	12\	\	\	15\	23\	16\	13\
\24					\	\24				
\13					\	\13				
\	3\23				16\	17\23				4\
\3			29\19					24\3		
\9				17\17			16\8			
\	\	\16			\	\16			\	\
\	16\	34\17			16\	17\17			32\	17\
\21				23\16			26\22			
\17			7\30					7\17		
\	7\7				\	\7				7\
\27					\	\27				
\16					\	\16				

		29\	6\	19\			15\	24\	19\	
	9\7					\23				20\
\26						\21				
\11					17\	16\13				
\4			25\27					21\16		
	\15			16\16			17\3			
		\17				\17				
		19\16			17\	16\16			20\	
	21\3			26\17			24\6			21\
\16			24\30					24\16		
\14						\14				
\27						\28				
	\23					\23				

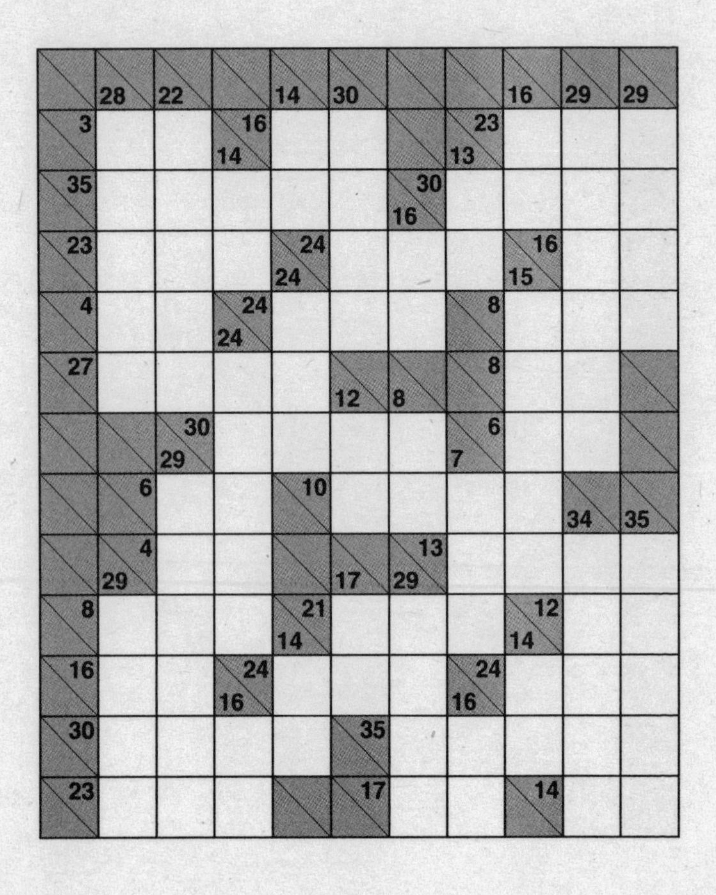

\	6\	17\	4\	\	6\	7\	\	4\	17\	6\
\7				\3			\6			
\6				17\4			6\7			
\8			27\10					21\8		
\	\23				26\	17\10				\
\	3\	4\37							4\	3\
\6				\4			\7			
\7				6\16			6\6			
\	\	14\21							23\	\
\	6\6				24\	23\8				6\
\8			4\18					6\3		
\7				\16			\17			
\6				\17			\11			

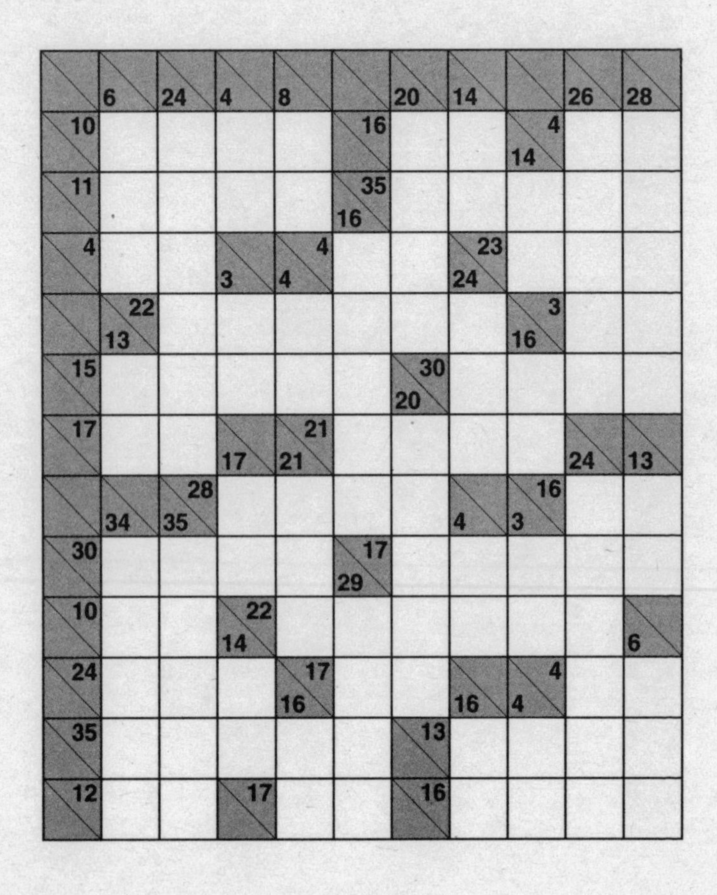

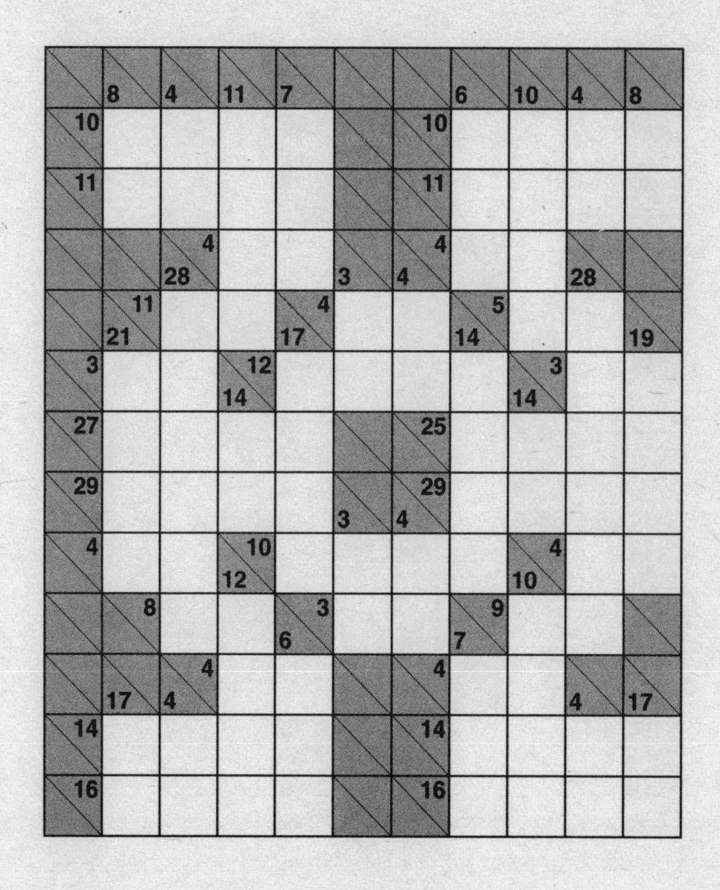

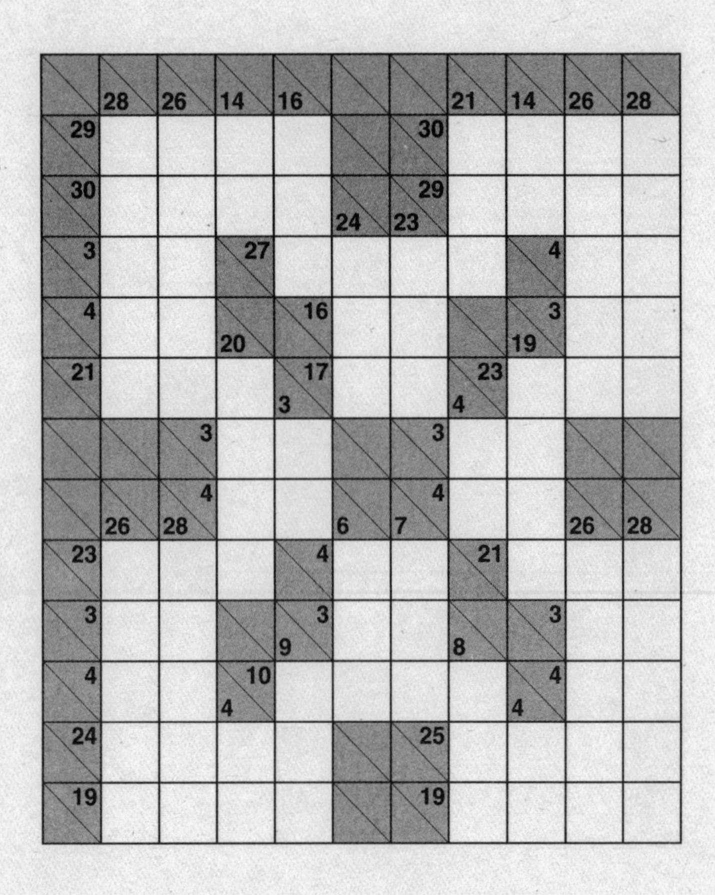

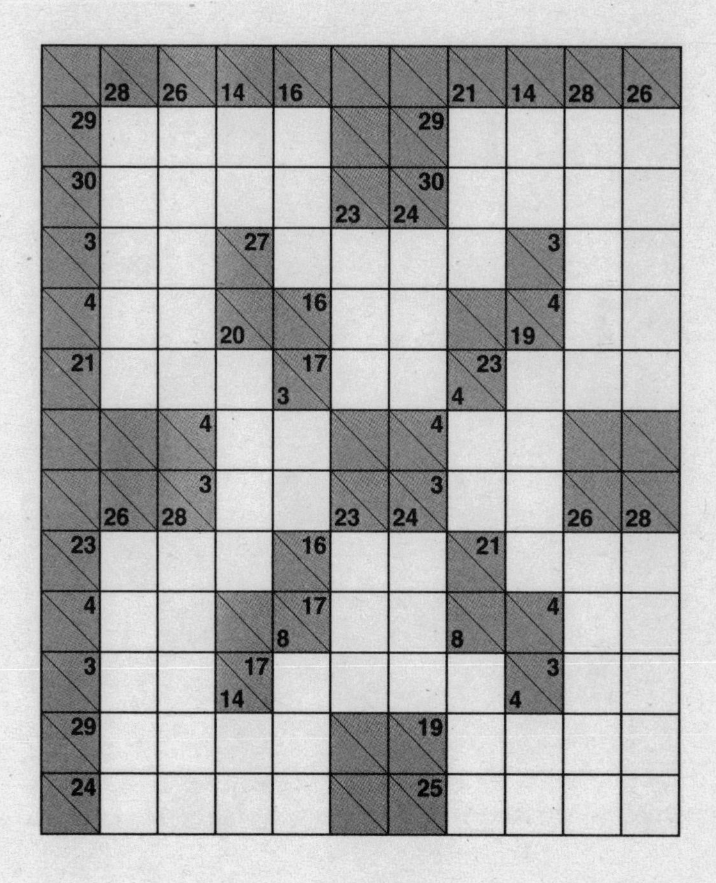

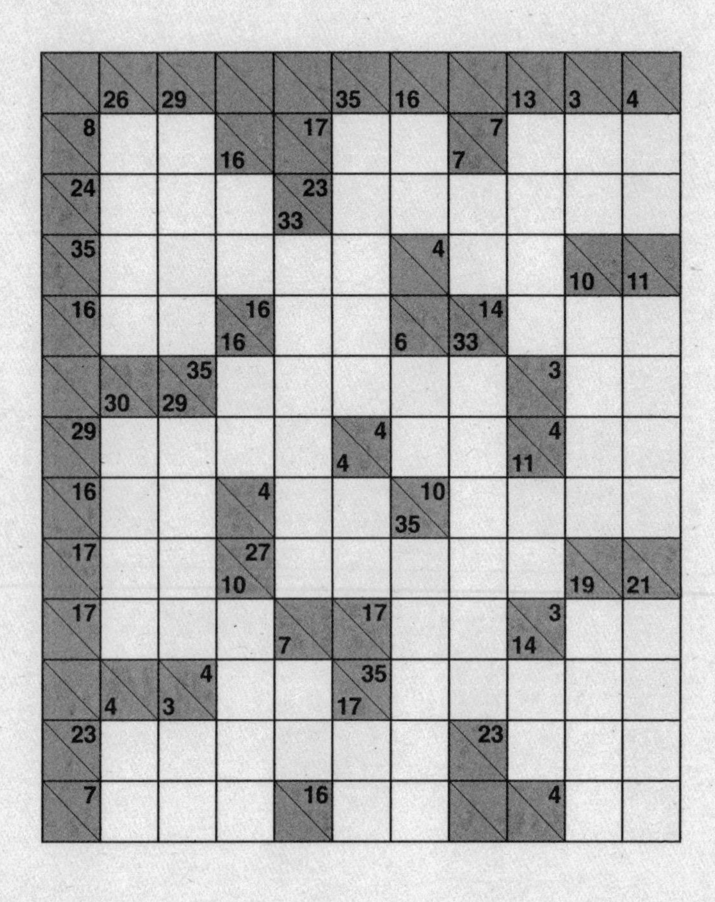

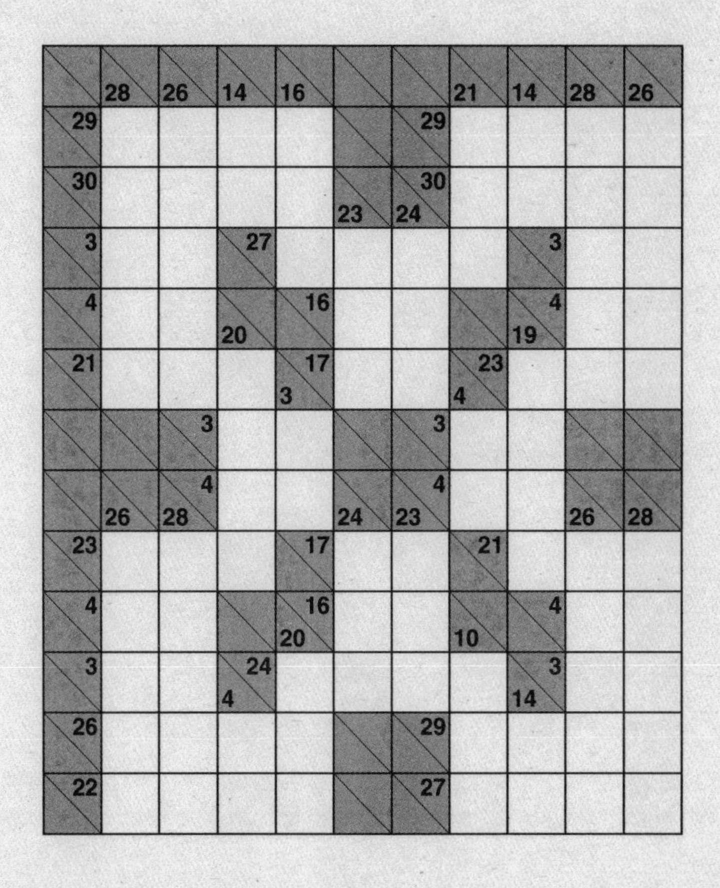

■	↓26	↓28	↓16	↓16	■	■	↓18	↓16	↓26	↓28
→29					■	→29				
→30					↓17	↓16 →30				
→16			→27					→16		
→4			↓29	↓30 →16			↓29	↓30 →4		
→17					■	→17				
■	■	→12			■	→12			■	■
■	↓26	↓28 →17			■	→17			↓26	↓28
→30					↓17	↓16 →30				
→4			■	↓19 →17			↓10	→4		
→3			↓4 →22					↓4 →3		
→25					■	→19				
→26					■	→27				

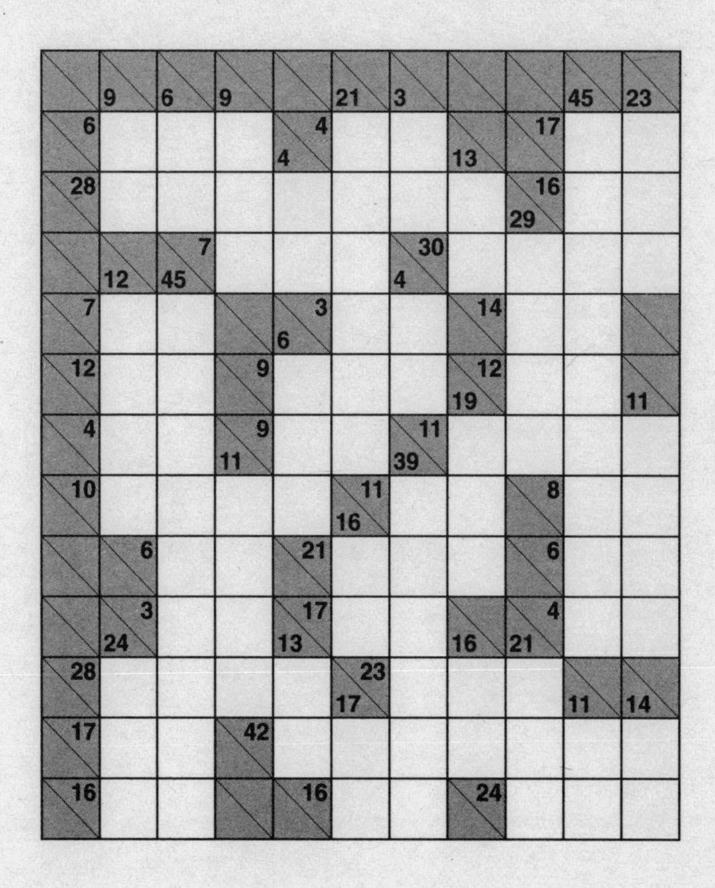
9
6
9
21
3
45
23
6
4
4
13
17
28
16
29
7
12
45
30
4
7
3
6
14
12
9
12
19
11
4
9
11
11
39
10
11
16
8
6
21
6
3
24
17
13
16
4
21
28
23
17
11
14
17
42
16
16
24

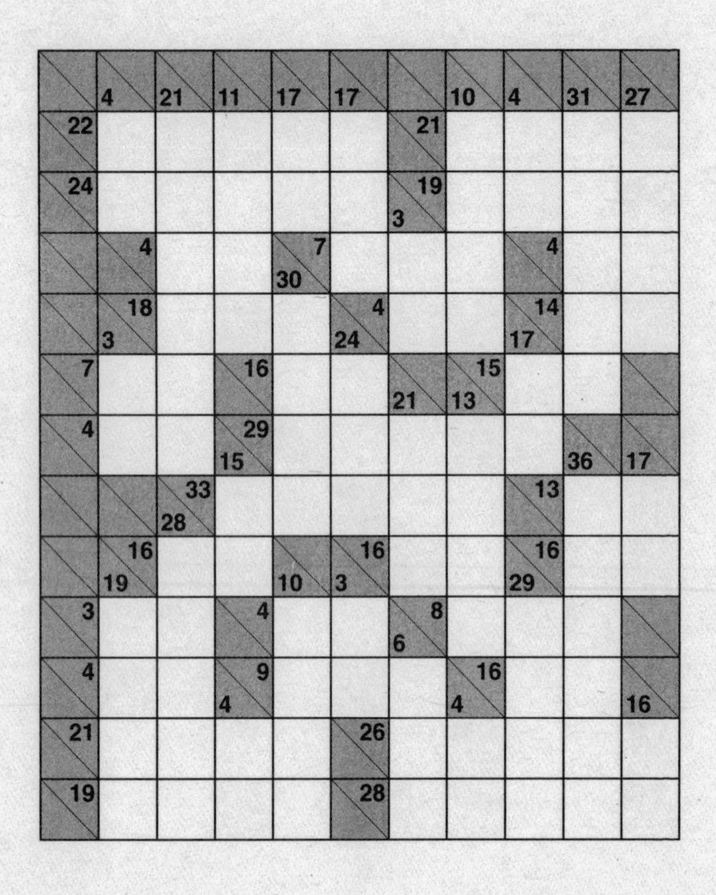

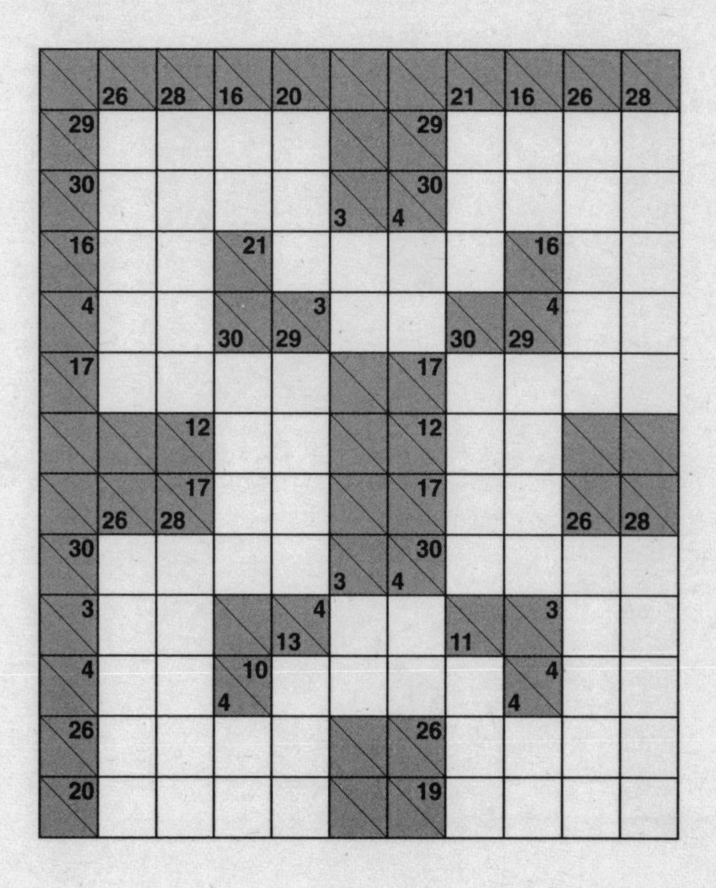

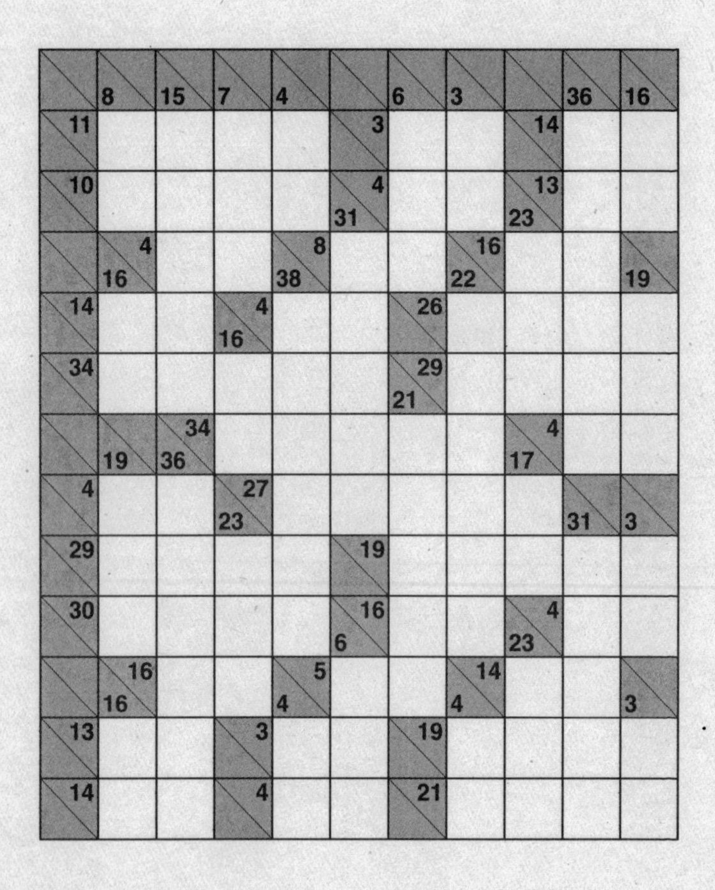

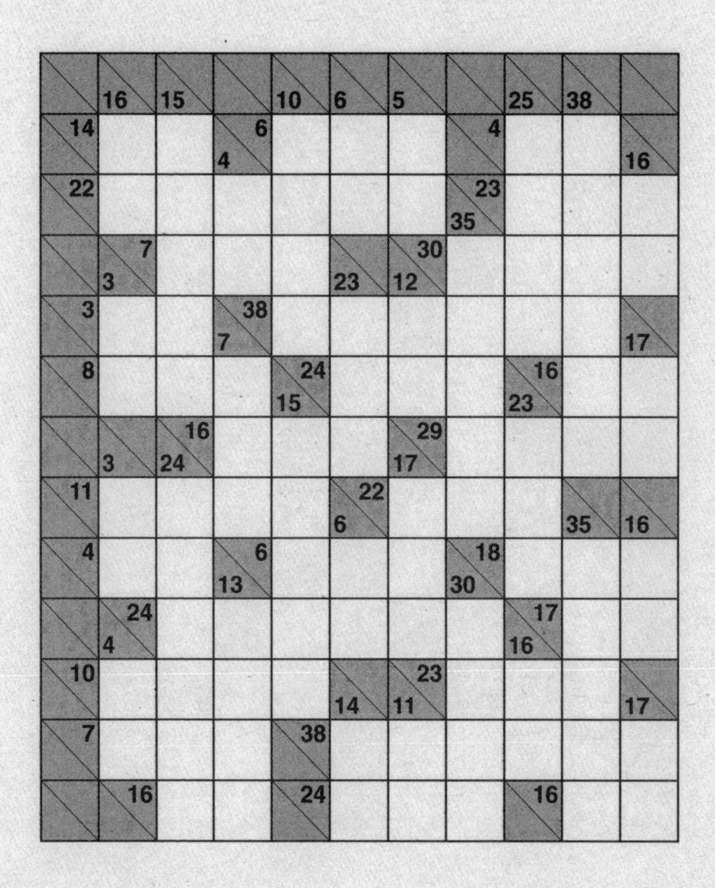

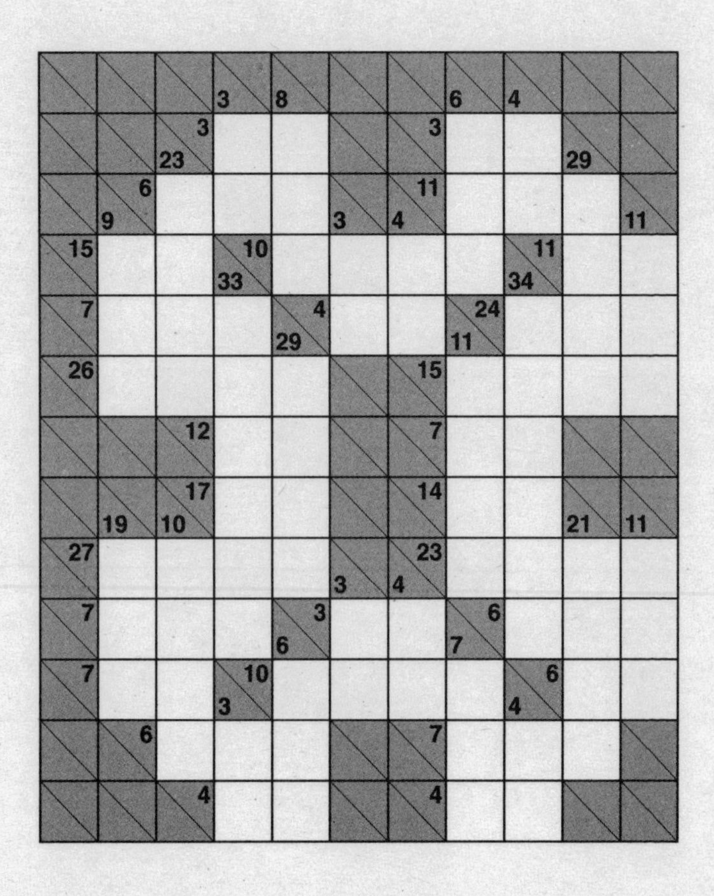

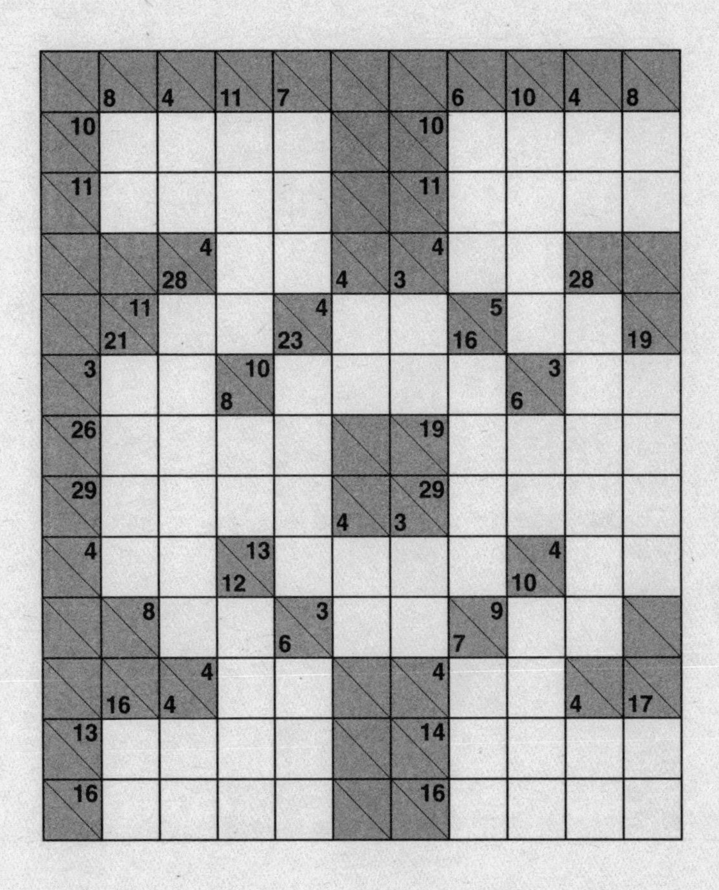

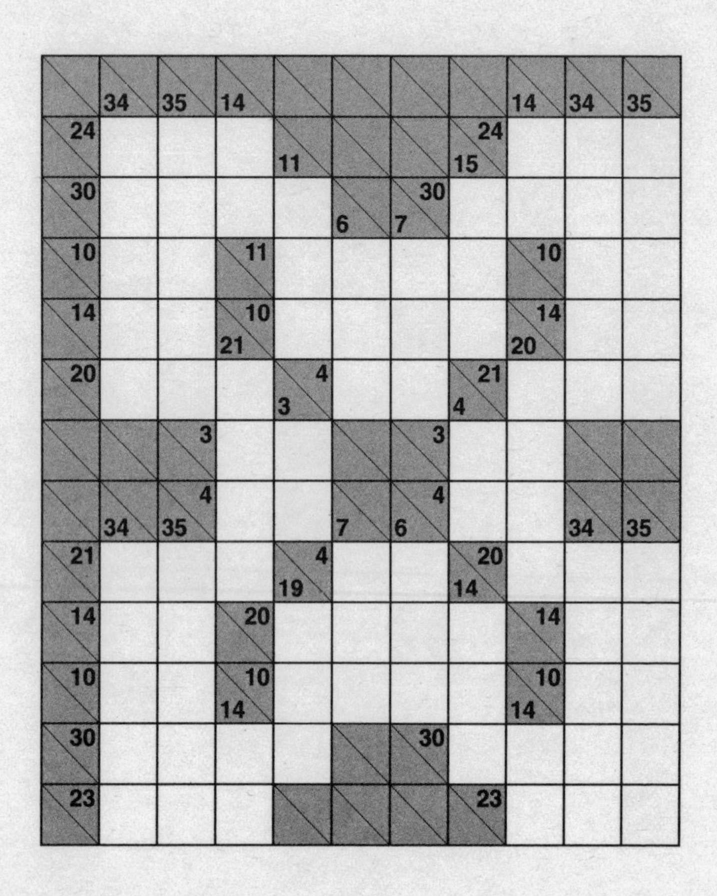

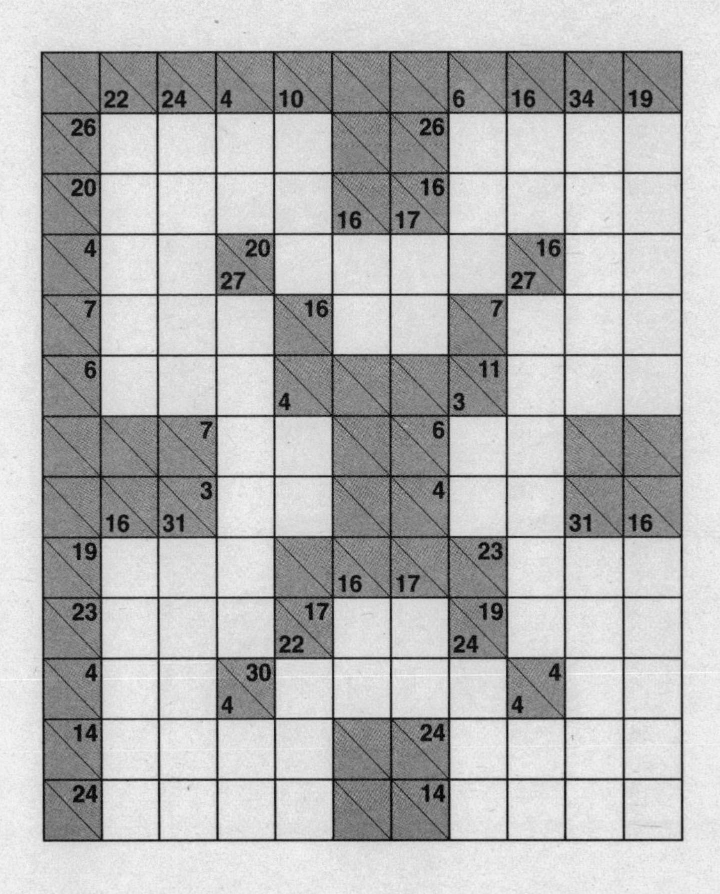

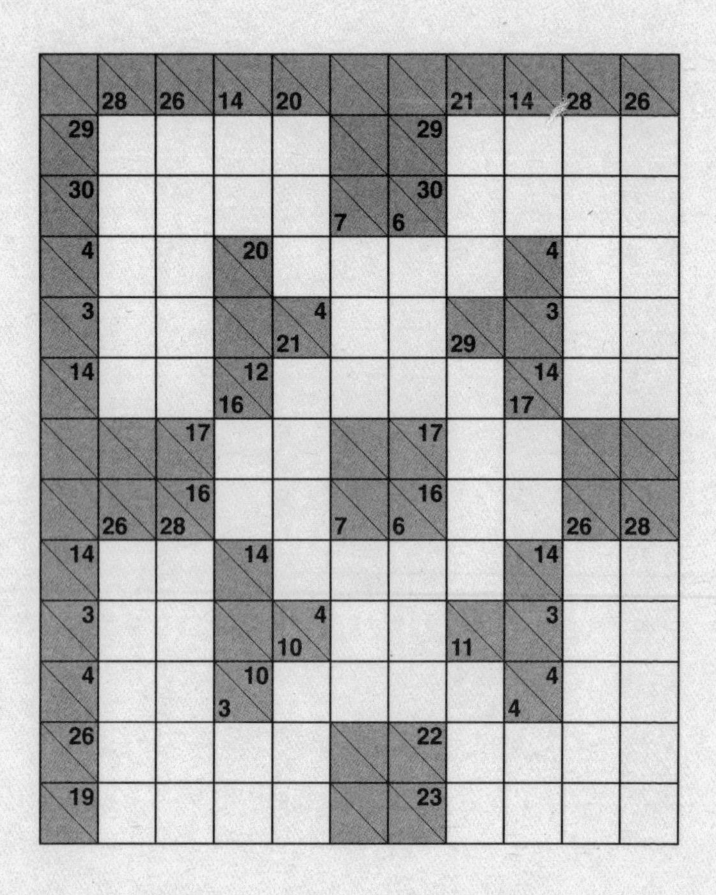

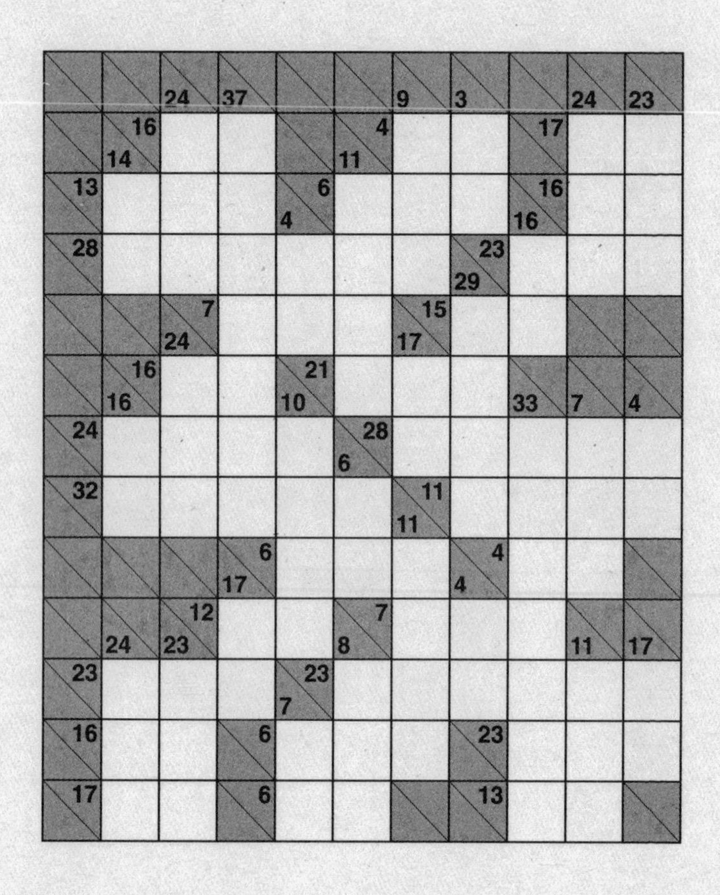

■	25\	30\	16\	12\	■	■	3\	4\	28\	29\
\29					■	\21				
\30					4\	3\19				
\16			■	34\3			39\	\14		
\4			30\10					29\6		
■	\16				■	\16				■
■	■	\17			■	\17			■	■
■	■	28\16			■	\16			28\	■
■	19\21				4\	3\21				19\
\3			\11					\3		
\4			4\	3\4			3\	4\4		
\21					■	\19				
\19					■	\21				

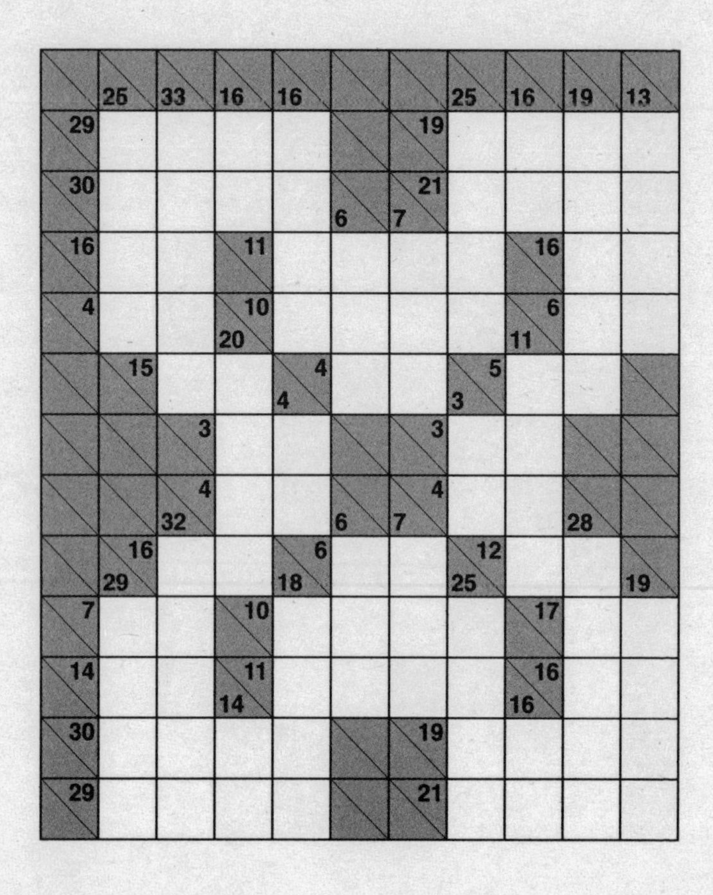

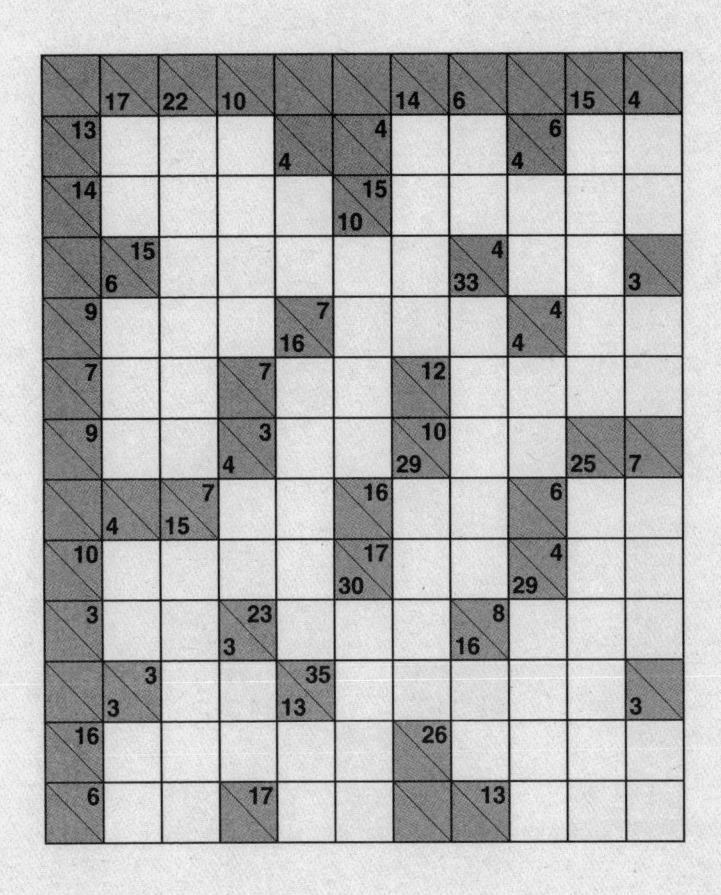

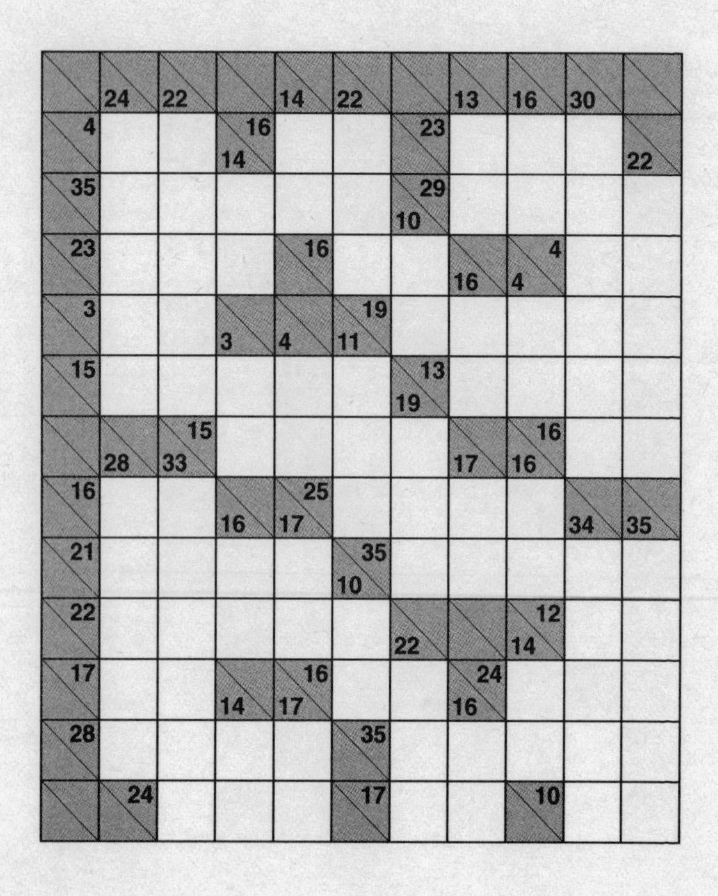

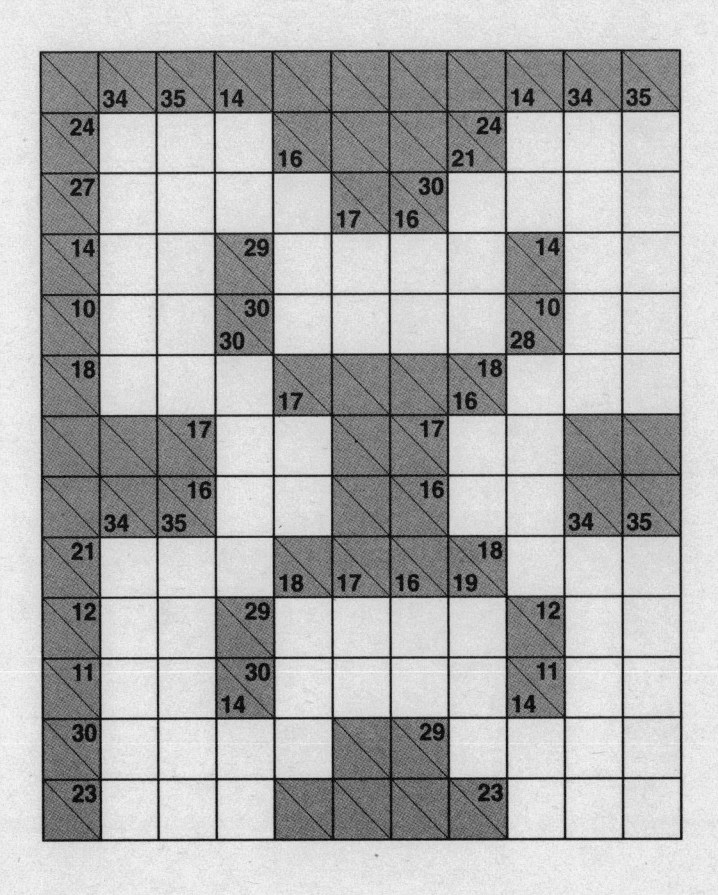

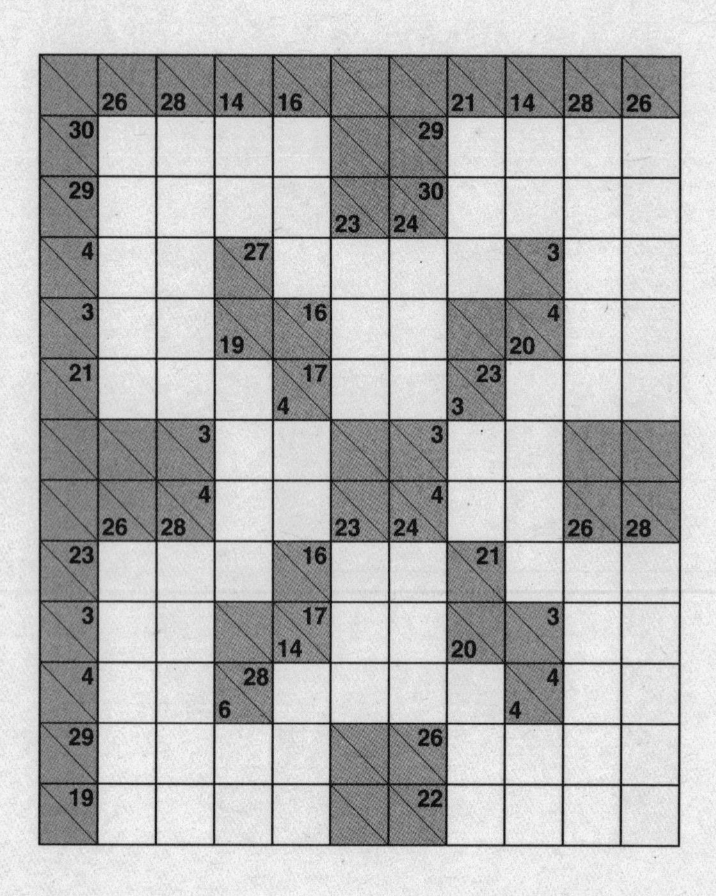

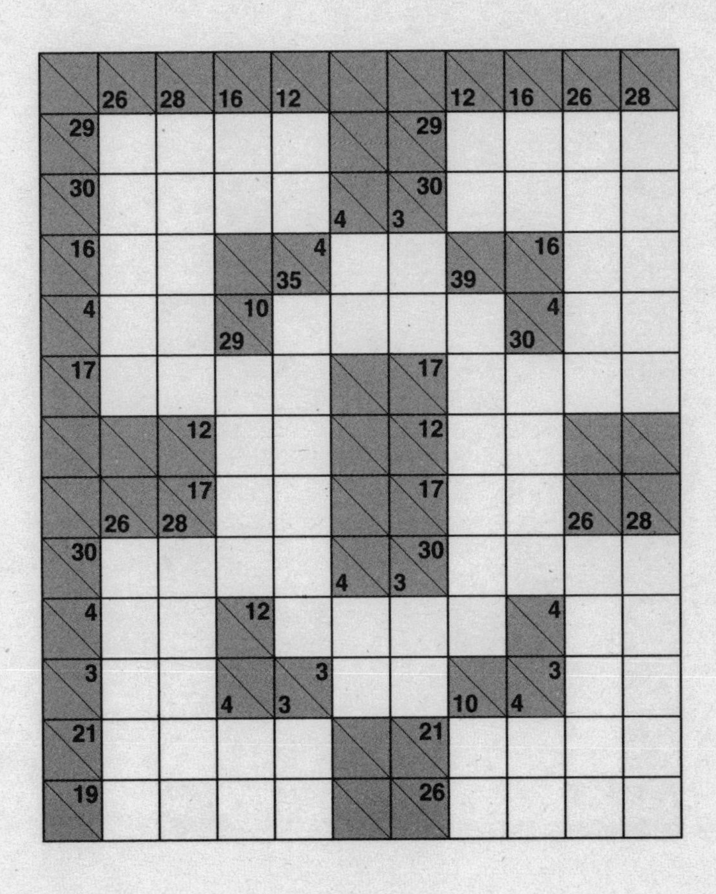

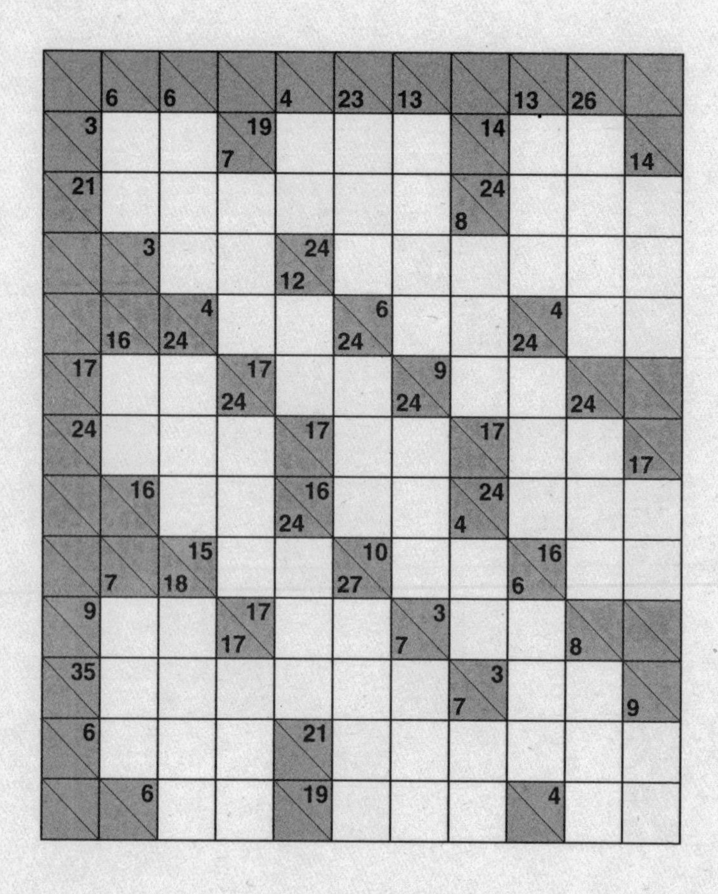

■	29\	27\	16\	■	■	■	■	16\	27\	29\
\24				16\	■	■	14\23			
\30					4\	3\30				
\16			23\21					31\16		
\8				11\3			26\8			
■	\6				■	\6				■
■	■	\13			■	\12			■	■
■	■	29\6			■	\14			35\	■
■	29\12				4\	3\22				29\
\9				14\4			16\21			
\16			16\20					16\16		
\30					■	\30				
\23				■	■	■	\24			

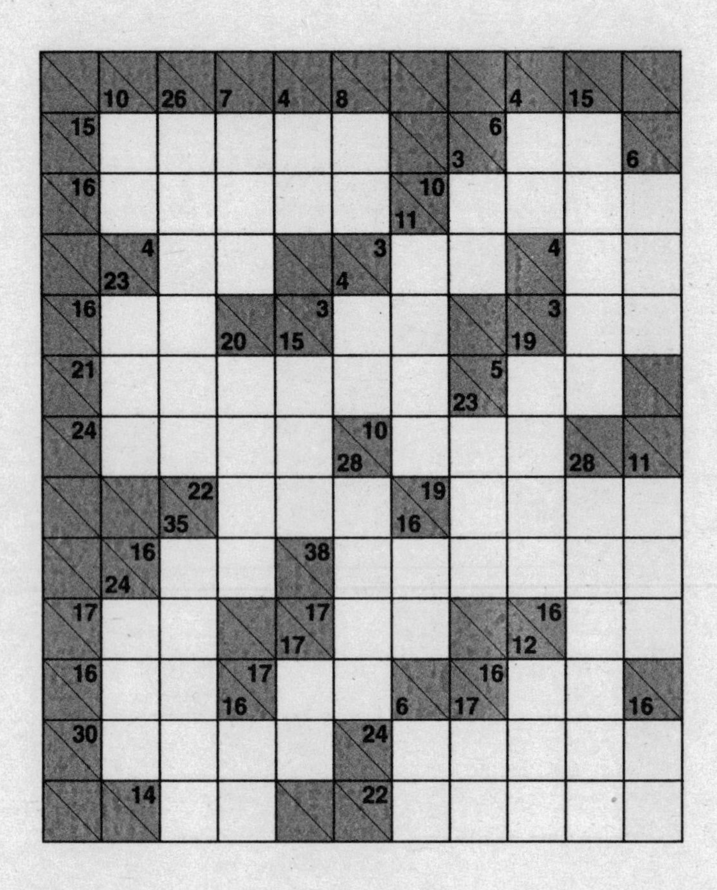

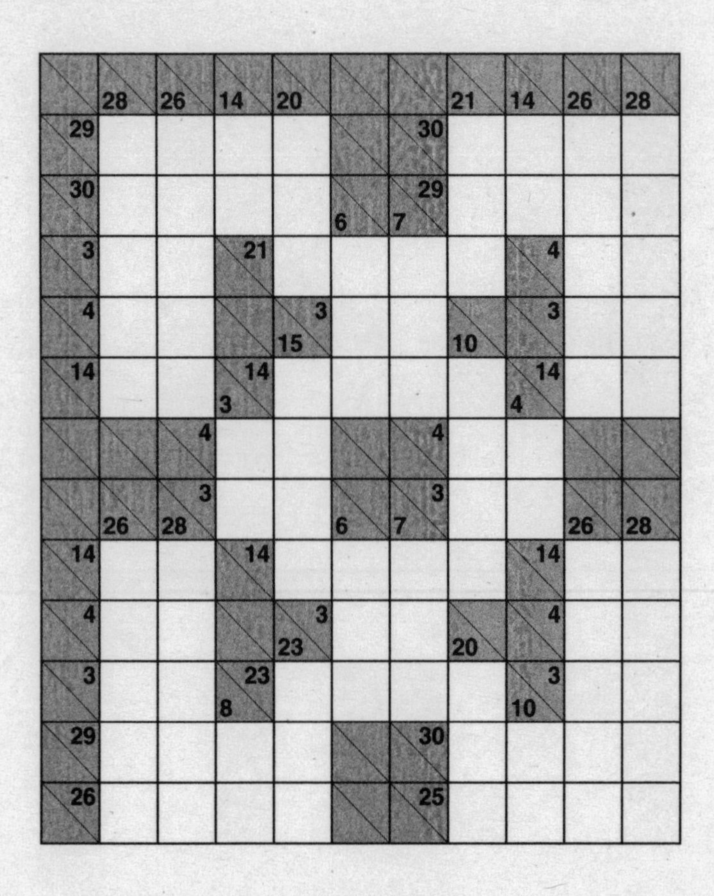

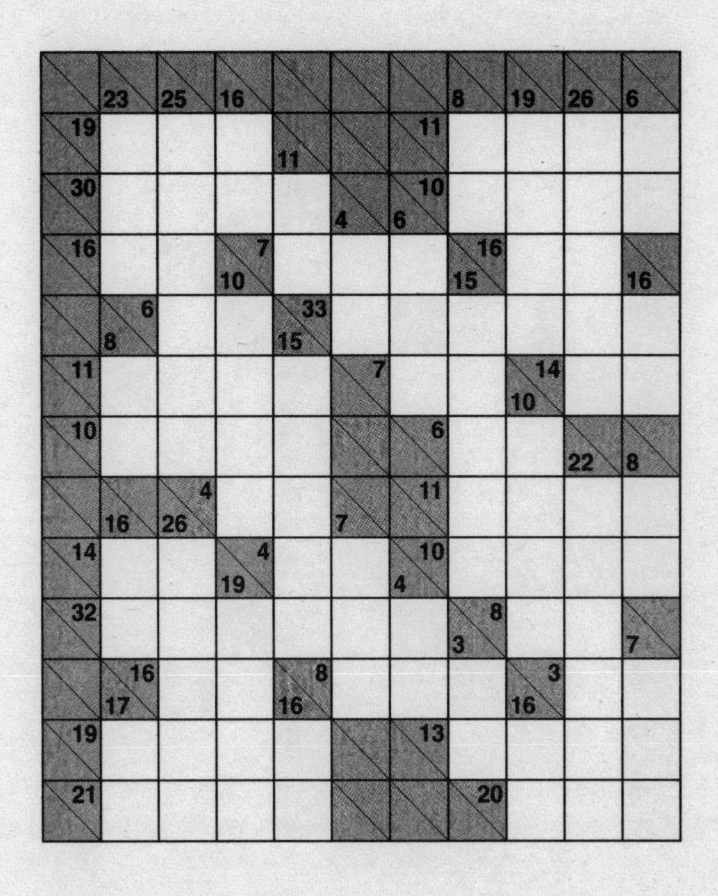

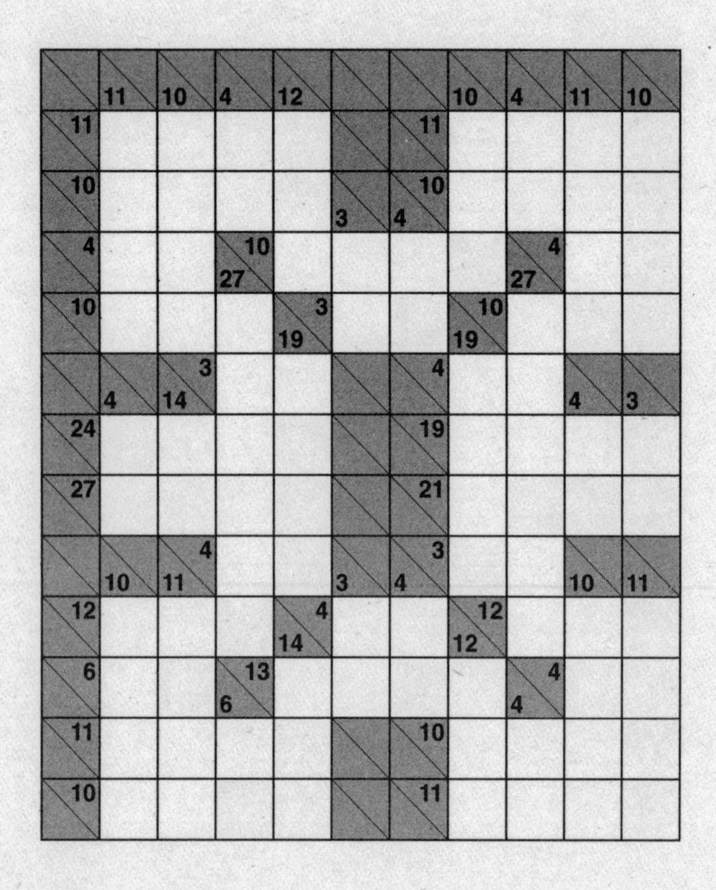

33
16
10
11
17
31
17
4
4
16
8
36
15
9
4
11
24
13
35
23
8
11
7
30
17
27
6
13
3
19
16
17
34
11
17
25
21
19
23
4
11
7
4
4
26
3
16
17
42
4
3
16

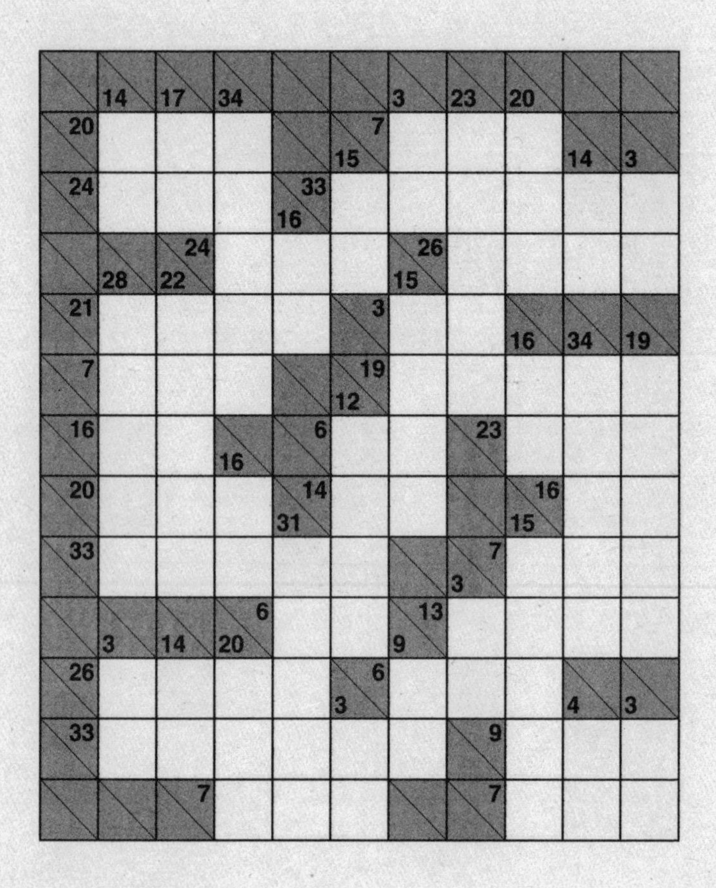

\	28\	26\	14\	16\	\	\	21\	14\	26\	28\
\29					\	\30				
\30					23\	24\29				
\3			\27					\4		
\4			19\	\16			\	20\3		
\21				4\17			3\23			
\	\	\4			\	\4			\	\
\	26\	28\3			23\	24\3			26\	28\
\23				\17			\21			
\4			\	18\16			10\	\4		
\3			7\24					4\3		
\30					\	\26				
\19					\	\20				

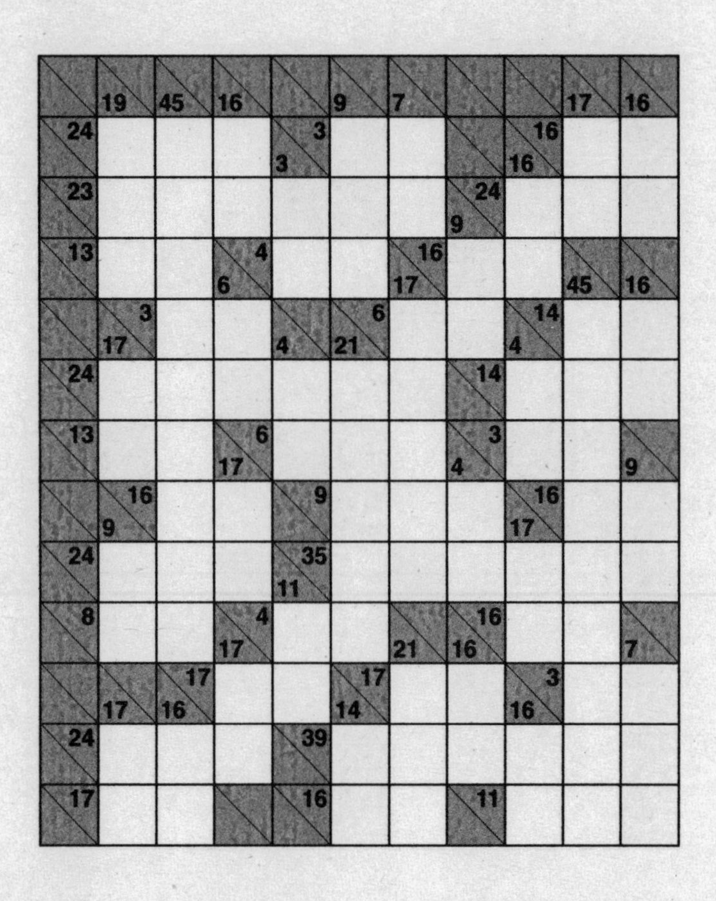

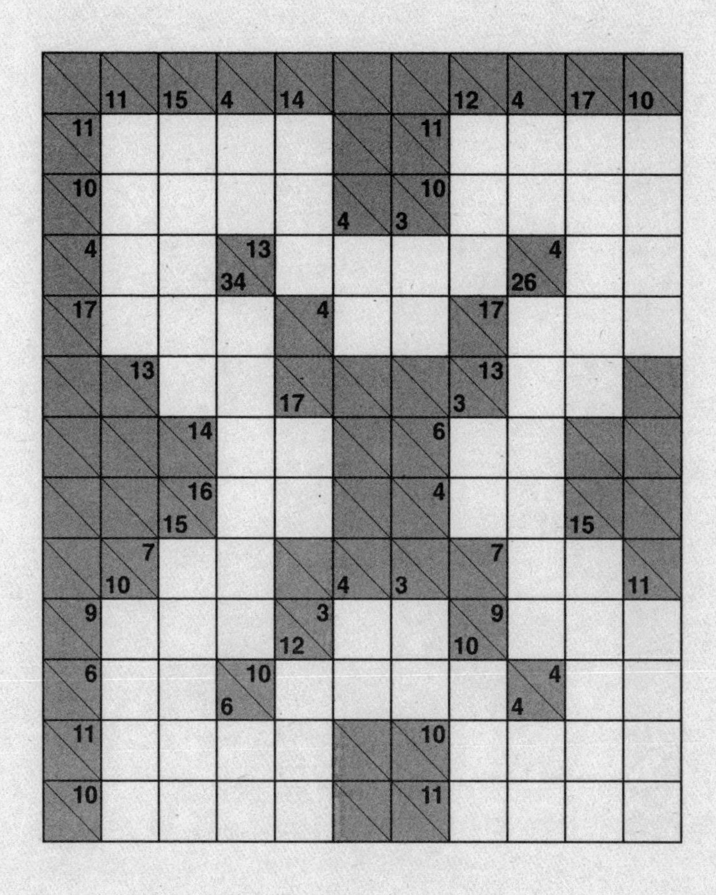

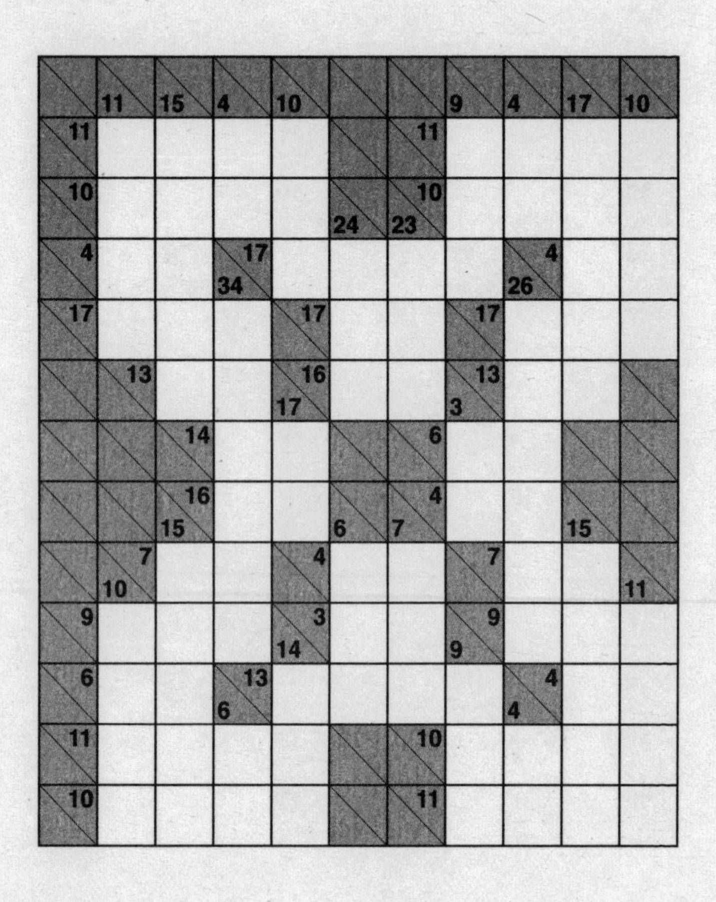

\	\	\	22\	21\	\	\	29\	35\	\	\
\	3\	4\4			\	\12			14\	12\
\19					\	\30				
\21					6\	4\29				
\	11\	10\24							11\	10\
\9				\3			\11			
\4			\	\	\	\	\	\4		
\3			23\	\	6\	4\	\	34\3		
\10				19\3			29\12			
\	12\	14\22							16\	12\
\29					\	\30				
\30					\	\29				
\	\	\4			\	\16			\	\

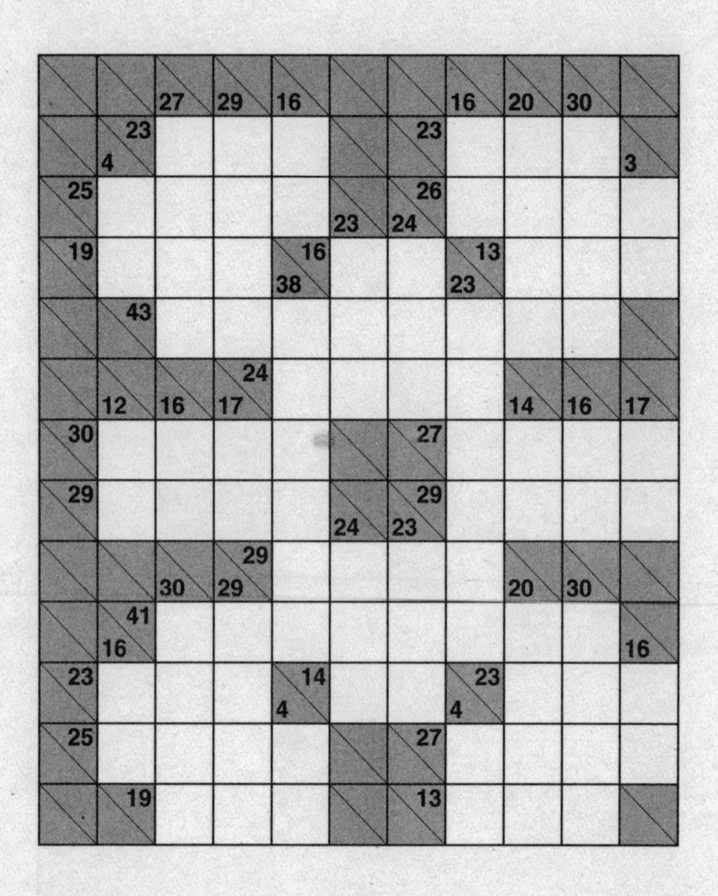

7-12 SOLUTIONS

page 7

	8	9					1	2	
6	9	7	8			2	3	1	4
9	7		2	1	3	4		3	1
8	6	9		2	1		5	4	2
		1	3			1	3		
		2	1			2	1		
6	9	8		1	3		2	1	4
9	7		5	2	1	3		3	1
8	6	7	9			1	3	4	2
	8	9					1	2	

page 8

		9	8			9	8		
	6	7	9			7	9	8	
9	8		7	9	8	6		9	8
7	9	8		7	9		6	7	9
		9	8			9	8		
		7	9			7	9		
9	8	6		9	8		7	9	8
7	9		6	7	9	8		7	9
	7	9	8			9	8	6	
		7	9			7	9		

page 9

		2	1			2	1		
	2	1	3			1	3	4	
2	1		4	2	1	3		2	1
1	3	4		1	3		2	1	3
		2	1			2	1		
		1	3			1	3		
2	1	3		2	1		4	2	1
1	3		2	1	3	4		1	3
	4	2	1			2	1	3	
		1	3			1	3		

page 10

		1	2			1	2		
	4	3	1			3	1	2	
1	2		3	1	2	4		1	2
3	1	2		3	1		4	3	1
		1	2			1	2		
		3	1			3	1		
1	2	4		1	2		3	1	2
3	1		4	3	1	2		3	1
	3	1	2			1	2	4	
		3	1			3	1		

page 11

	8	9					1	2	
6	9	7	8			1	3	4	2
9	7		7	8	9	2		3	1
8	6	5		9	7		2	1	4
		8	9			8	9		
		9	7			9	7		
6	9	7		8	9		1	4	2
9	7		8	9	7	1		3	1
8	6	7	9			2	3	1	4
	8	9					1	2	

page 12

		8	9			8	9		
	8	9	7			9	7	6	
8	9		6	8	9	7		8	9
9	7	6		9	7		8	9	7
		8	9			8	9		
		9	7			9	7		
8	9	7		8	9		6	8	9
9	7		8	9	7	6		9	7
	6	8	9			8	9	7	
		9	7			9	7		

page 13

	2	1					1	2	
4	1	3	2			2	3	1	4
1	3		3	9	8	1		3	1
2	4	1		7	9		1	4	2
		9	8			9	8		
		7	9			7	9		
4	1	2		9	8		2	1	4
1	3		3	7	9	2		3	1
2	4	3	1			1	3	4	2
	2	1					1	2	

page 14

		8	9			8	9		
6	8	9	7			9	7	6	8
9	7		8	3	1	7		9	7
8	9	6		1	2		7	8	9
		3	1			3	1		
		1	2			1	2		
6	8	9		3	1		9	6	8
9	7		7	1	2	9		9	7
8	9	7	6			6	7	8	9
		9	8			8	9		

page 15

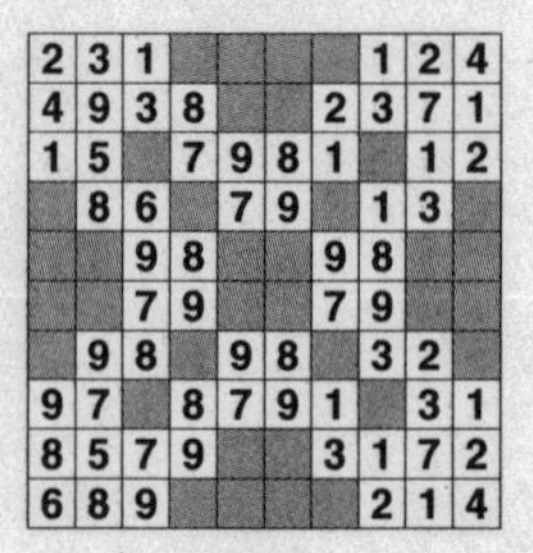

2	3	1					1	2	4
4	9	3	8			2	3	7	1
1	5		7	9	8	1		1	2
	8	6		7	9		1	3	
		9	8			9	8		
		7	9			7	9		
	9	8		9	8		3	2	
9	7		8	7	9	1		3	1
8	5	7	9			3	1	7	2
6	8	9					2	1	4

page 16

	8	9	6			8	9	6	
8	6	7	9			6	7	9	8
9	7		8	1	3	9		7	9
	9	5		2	1		9	8	
		1	3			1	3		
		2	1			2	1		
	2	3		1	3		2	1	
1	3		5	2	1	3		3	1
2	1	3	4			1	3	4	2
	4	1	2			4	1	2	

page 17

	5	9					1	2	
8	9	7	6			2	3	1	4
9	7		2	3	1	4		3	1
6	8	9		1	2		3	4	2
		3	1			3	1		
		1	2			1	2		
8	9	7		3	1		5	1	4
9	7		5	1	2	3		3	1
6	8	9	7			1	3	4	2
	6	7					1	2	

page 18

	2	1	4			2	1	4	
2	4	3	1			4	3	1	2
1	3		2	3	1	5		3	1
	1	4		1	2		3	2	
		3	1			3	1		
		1	2			1	2		
	1	2		3	1		4	2	
1	3		5	1	2	3		3	1
2	4	3	1			4	3	1	2
	2	1	4			2	1	4	

page 19

	6	8	9			6	8	9	
	8	9	7			8	9	7	
8	9		8	1	3	9		8	9
9	7	8		2	1		9	6	7
		1	3			1	3		
		2	1			2	1		
8	9	7		1	3		8	6	7
9	7		8	2	1	9		8	9
	6	8	9			6	8	9	
	8	9	7			8	9	7	

page 20

	6	9	8			6	9	8	
6	8	7	9			8	7	9	6
9	7		6	9	8	7		7	9
8	9	6		7	9		7	5	8
		9	8			9	8		
		7	9			7	9		
6	9	8		9	8		5	1	4
9	7		8	7	9	2		3	1
8	6	7	9			1	3	4	2
	8	9	6			4	1	2	

page 21

		8	9			8	9		
6	8	9	7			9	7	6	8
8	9		8	1	3	7		8	9
9	7	8		2	1		8	9	7
		1	3			1	3		
		2	1			2	1		
6	8	9		1	3		9	6	8
8	9		8	2	1	9		8	9
9	7	8	6			6	8	9	7
		9	7			7	9		

page 22

3	2	1					8	9	6
9	5	3	8			3	9	1	2
5	1		7	9	8	1		3	1
	3	8		7	9		1	2	
		9	8			9	8		
		7	9			7	9		
	8	6		9	8		3	1	
1	3		6	7	9	2		3	1
3	9	5	8			1	3	5	2
2	5	1					1	2	4

page 23

	2	1	4			2	1	4	
2	4	3	1			4	3	1	2
1	3		5	1	2	3		3	1
	1	2		3	1		3	2	
		1	2			1	2		
		3	1			3	1		
	9	8		1	2		5	8	
9	7		8	3	1	9		7	9
8	6	7	9			6	7	9	8
	8	9	6			8	9	6	

page 24

		1	2			2	1		
2	1	3	4			4	3	2	1
1	3		6	3	1	5		1	3
4	2	5		1	2		3	4	2
		3	1			3	1		
		1	2			1	2		
2	1	4		3	1		4	2	1
1	3		3	1	2	4		1	3
4	2	3	1			3	1	4	2
		1	2			1	2		

page 25

page 28

	4	1	2			4	1	2	
	2	3	1			2	3	1	
2	1		4	1	3	5		3	1
1	3	4		2	1		5	4	2
		1	3			1	3		
		2	1			2	1		
2	1	3		1	3		6	4	2
1	3		4	2	1	3		3	1
	4	1	2			4	1	2	
	2	3	1			2	3	1	

page 26

page 29

page 27

page 30

page 31

	1	2	4			1	2	4	
8	3	1	2			3	1	2	4
9	4		1	9	8	2		3	1
6	2	8		7	9		3	1	2
		9	8			9	8		
		7	9			7	9		
8	9	6		9	8		7	8	9
9	7		6	7	9	8		9	7
6	8	7	9			5	9	6	8
	6	9	8			9	8	7	

page 32

	6	9	8			6	9	8	
6	8	7	9			8	7	9	6
9	7		6	8	9	7		7	9
8	9	7		9	7		6	5	8
		8	9			8	9		
		9	7			9	7		
4	2	1		8	9		8	4	2
1	3		6	9	7	8		1	3
2	1	3	5			3	5	2	1
	4	1	2			9	8	6	

page 33

3	1		2	1			1	4	2
4	2	5	1	3		8	3	9	4
		1	3		7	9		3	1
1	3	2		1	2		6	8	
2	1	4	5	3		1	3		
		3	1		3	5	4	1	2
	8	6		3	1		2	3	1
8	9		1	2		3	1		
6	2	1	3		3	1	5	4	2
9	1	3			1	2		3	1

page 34

	6	9	8			6	9	8	
8	9	7	6			9	7	6	8
9	7		5	8	9	7		7	9
	8	7		9	7		8	9	
		8	9			8	9		
		9	7			9	7		
	2	1		8	9		5	1	
1	3		1	9	7	2		3	1
2	1	3	4			1	3	4	2
	4	1	2			4	1	2	

page 35

	2	1	4			2	1	4	
2	4	3	1			4	3	1	2
1	3		5	1	2	3		3	1
	1	2		3	1		3	2	
		1	2			1	2		
		3	1			3	1		
	8	9		1	2		5	9	
9	7		9	3	1	8		7	9
8	9	7	6			9	7	6	8
	6	9	8			6	9	8	

page 36

	8	9	6			8	9	6	
8	6	7	9			6	7	9	8
9	7		8	3	1	9		7	9
	9	5		1	2		9	8	
		3	1			3	1		
		1	2			1	2		
	1	2		3	1		3	2	
1	3		5	1	2	3		3	1
2	4	3	1			4	3	1	2
	2	1	4			2	1	4	

page 37

	2	1	4			2	1	4	
2	4	3	1			4	3	1	2
1	3		2	8	9	1		5	1
4	1	5		9	7		1	2	3
		8	9			8	9		
		9	7			9	7		
6	9	7		8	9		8	9	6
9	7		5	9	7	8		7	9
8	6	7	9			9	7	6	8
	8	9	6			6	9	8	

page 38

	6	9	8			6	9	8	
8	9	7	6			9	7	6	8
7	8		5	8	9	7		7	9
9	5	7		9	7		8	9	6
		8	9			8	9		
		9	7			9	7		
2	4	1		8	9		5	9	6
1	3		5	9	7	8		7	9
4	1	5	2			9	7	6	8
	2	1	3			6	9	8	

page 39

	4	1	2			4	1	2	
2	1	3	4			1	3	4	2
3	2		5	2	1	3		3	1
1	5	4		1	3		2	1	4
		2	1			2	1		
		1	3			1	3		
4	1	3		2	1		5	1	4
1	3		5	1	3	2		3	1
2	4	3	1			1	3	4	2
	2	1	4			4	1	2	

page 40

1	2	3	5			5	1	2	3
2	4	1	3			3	2	4	1
3	1		6	9	8		3	1	
5	3	8		7	9	8		3	1
		9	8		7	9	8	5	2
2	5	7	9	8		7	9		
1	3		7	9	8		6	3	5
	1	3		7	9	8		1	3
3	2	1	5			3	1	4	2
1	4	2	3			5	3	2	1

page 41

	2	1	4			2	1	4	
2	4	3	1			4	3	1	2
1	3		2	3	1	5		2	3
4	1	5		1	2		3	5	1
		3	1			3	1		
		1	2			1	2		
4	1	2		3	1		5	4	2
1	3		5	1	2	3		3	1
2	4	3	1			5	2	1	4
	2	1	4			1	3	2	

page 42

	4	1	2			4	1	2	
2	1	3	4			1	3	4	2
3	2		5	2	1	3		3	1
1	5	4		1	3		2	1	4
		2	1			2	1		
		1	3			1	3		
4	1	3		2	1		5	4	2
1	3		2	1	3	4		3	1
2	4	3	1			2	5	1	4
	2	1	4			3	1	2	

page 43

	2	1	4			2	1	4	
2	4	3	1			4	3	1	2
1	3		2	9	8	1		2	3
4	1	5		7	9		2	5	1
		9	8			9	8		
		7	9			7	9		
6	9	8		9	8		7	6	8
9	7		5	7	9	8		7	9
8	6	7	9			5	8	9	6
	8	9	6			9	7	8	

page 44

	4	1	2			4	1	2	
2	1	3	4			1	3	4	2
1	5		1	7	9	2		3	1
3	2	8		9	8		2	1	4
		7	9			7	9		
		9	8			9	8		
8	6	5		7	9		7	8	6
9	8		5	9	8	7		9	8
7	9	8	6			8	6	7	9
	7	9	8			4	1	2	

page 45

	6	9	8			6	9	8	
8	9	7	6			9	7	6	8
7	8		9	1	2	8		7	9
9	5	8		3	1		8	9	6
		1	2			1	2		
		3	1			3	1		
8	6	9		1	2		7	9	6
9	7		9	3	1	8		7	9
6	9	5	8			9	7	6	8
	8	9	7			6	9	8	

page 46

	2	1	4			2	1	4	
2	4	3	1			4	3	1	2
1	3		2	1	3	5		5	1
4	1	5		2	1		4	2	3
		1	3			1	3		
		2	1			2	1		
4	1	3		1	3		2	1	4
1	3		5	2	1	3		3	1
2	4	3	1			1	3	4	2
	2	1	4			4	1	2	

page 47

	8	9	6			8	9	6	
8	6	7	9			6	7	9	8
9	7		8	3	1	9		5	9
6	9	7		1	2		9	8	7
		3	1			3	1		
		1	2			1	2		
6	9	8		3	1		3	1	2
9	7		8	1	2	4		3	1
8	6	7	9			3	1	2	4
	8	9	6			1	2	4	

page 48

	4	2	1			4	2	1	
4	2	1	3			2	1	3	8
1	3		2	3	1	5		2	6
2	1	5		1	2		8	4	9
		3	1			3	1		
		1	2			1	2		
2	1	4		3	1		3	2	1
1	3		4	1	2	3		1	3
4	2	3	1			5	1	4	2
	4	1	2			1	2	3	

page 49

	4	1	2			4	1	2	
2	1	3	4			1	3	4	2
3	2		1	9	7	2		3	1
1	5	6		8	9		2	1	4
		9	7			9	7		
		8	9			8	9		
8	6	7		9	7		5	8	6
7	9		5	8	9	7		7	9
9	8	7	6			5	7	9	8
	4	2	1			8	9	6	

page 50

	6	9	8			6	9	8	
8	9	7	6			9	7	6	8
9	5		9	1	3	8		7	9
7	8	9		2	1		8	9	6
		1	3			1	3		
		2	1			2	1		
9	8	7		1	3		7	9	8
7	9		7	2	1	8		7	9
8	6	9	5			7	9	8	6
	7	8	9			9	8	6	

page 51

2	4	1	3			3	1	2	4
1	2	3	5			5	3	1	2
3	1		4	3	1	2		3	1
	3	4		1	2		3	4	
		3	1			3	1		
		1	2			1	2		
	4	2		3	1		4	3	
1	3		8	1	2	9		1	3
4	2	1	9			7	1	4	2
2	1	3	5			5	3	2	1

page 52

	2	1	4			2	1	4	
4	1	3	2			1	3	2	4
1	3		1	9	7	3		3	1
2	5	3		8	9		3	1	2
		9	7			9	7		
		8	9			8	9		
2	4	1		9	7		4	1	2
1	3		3	8	9	2		3	1
4	1	2	5			3	1	2	4
	2	3	1			1	2	4	

page 53

8	9	7					9	6	8
6	8	9	7			6	7	8	9
9	7		6	8	9	7		9	7
1	5	7		9	7		8	7	5
		8	9			8	9		
		9	7			9	7		
5	7	6		8	9		6	5	7
7	9		5	9	7	8		7	9
9	8	7	6			7	9	8	6
8	6	9					7	9	8

page 54

	8	9	6			8	9	6	
8	6	7	9			6	7	9	8
9	7		8	9	7	5		8	7
6	9	7		8	9		8	5	9
		9	7			9	7		
		8	9			8	9		
2	4	1		9	7		5	6	8
1	3		6	8	9	7		7	9
4	1	2	5			5	8	9	6
	2	3	1			9	7	8	

page 55

	4	1	2			4	1	2	
2	1	3	4			1	3	4	2
1	5		1	8	9	2		3	1
3	2	4		9	7		2	1	4
		8	9			8	9		
		9	7			9	7		
2	4	1		8	9		1	4	2
1	3		4	9	7	1		3	1
4	1	5	2			2	5	1	4
	2	1	3			3	1	2	

page 56

	6	9	8			6	9	8	
8	9	7	6			9	7	6	8
7	8		9	1	3	8		7	9
9	5	8		2	1		8	9	6
		1	3			1	3		
		2	1			2	1		
8	6	9		1	3		9	6	8
9	7		7	2	1	8		7	9
6	9	8	5			5	8	9	6
	8	7	9			9	7	8	

page 57

	5	9		1	3		6	9	8
9	8	7		2	1	6	8	7	9
7	9		9	8		7	9		
	6	8	7	9	5		7	9	8
		9	5		9	7		7	9
9	8		8	9		5	9		
7	9	1		5	9	8	7	6	
		3	1		7	9		9	8
1	2	4	5	9	8		8	7	9
3	1	2		7	6		9	5	

page 58

2	4	1	3			3	1	2	4
1	2	3	5			5	3	1	2
3	1		2	9	7	1		3	1
	3	1		8	9		2	4	
		9	7			9	7		
		8	9			8	9		
	4	2		9	7		1	3	
1	3		4	8	9	6		1	3
4	2	1	7			7	1	4	2
2	1	3	5			5	3	2	1

page 59

7	9	8	5			5	8	7	9
9	8	6	7			7	6	9	8
3	1		4	8	6	9		3	1
1	2			7	9			1	2
8	6	7		9	8		9	8	6
		1	3			1	3		
		2	1			2	1		
6	8	9		8	9		7	6	8
2	1			9	7			2	1
1	3		7	6	8	9		1	3
8	9	3	6			6	1	8	9
9	7	1	8			8	3	9	7

page 60

3	1	2	4			2	4	1	3
5	3	1	2			1	2	3	5
		3	1			3	1		
	6	5		1	3		3	2	
1	2		4	2	1	3		1	2
8	9	6	3			1	6	8	9
9	7	8	5			5	8	9	7
3	1		6	1	3	2		3	1
	3	5		2	1		4	5	
		1	3			1	3		
9	3	2	1			2	1	3	7
7	1	4	2			4	2	1	9

page 61

1	2		2	3	1		1	9	8
3	1	2	7	4	5		3	7	9
	3	1			3	1		3	1
6	8				4	2	3	1	6
8	9			1	2		1	2	4
9	7	8	5	6		1	2		
		7	9		2	3	4	5	1
2	1	3		2	1			4	3
1	3	9	2	4				7	2
9	7		1	3			1	2	
4	9	7		5	4	7	3	1	2
6	8	9		1	3	2		3	1

page 62

	4	2	1			5	1	4	
	2	1	3			1	2	3	
9	7		4	8	6	2		8	9
7	1	5		9	8		9	2	8
8	3	9		7	9		5	1	7
		8	5			5	8		
		7	9			9	7		
1	4	2		9	8		6	8	9
8	9	6		7	9		2	1	4
2	8		7	8	6	2		2	8
	6	9	5			5	1	4	
	7	8	9			1	2	3	

page 63

5	1	2	3			5	1	2	3
3	2	4	1			3	2	4	1
	3	1		1	2		3	1	
1	5		7	3	1	4		3	1
3	4	2	1			3	1	5	2
		3	5			5	3		
		4	2			2	4		
2	5	1	3			1	2	4	3
1	3		4	1	2	6		5	1
	1	3		3	1		1	3	
1	4	2	9			1	4	2	9
3	2	1	8			3	2	1	8

page 64

9	4	8	3			4	8	3	9
4	2	6	1			2	6	1	4
	8	9	6			8	9	6	
2	1		2	7	9	1		2	1
1	3	5		9	8		1	4	3
		7	9			7	9		
		9	8			9	8		
7	6	8		7	9		6	7	9
9	8		7	9	8	6		9	8
	4	1	2			4	1	2	
6	9	4	8			9	4	8	6
1	7	2	6			7	2	6	1

page 65

	4	2	1			9	8	6	
6	9	3	8			1	9	3	8
2	5	1	3			2	7	1	3
1	3		7	8	9	3		7	9
	8	7		9	7		1	2	
		8	9			8	9		
		9	7			9	7		
	2	1		8	9		4	2	
9	7		8	9	7	6		7	9
4	1	7	2			2	7	1	4
8	3	9	7			7	9	4	8
	6	8	9			9	8	6	

page 66

1	2		9	7			9	6	8
9	7	8	5	6		6	7	8	9
8	9	6		8	9	7		9	7
3	1		8	9	7		2	1	5
7	3	8	9				5	3	
		9	7	8	6		4	2	
	2	4		4	2	1	3		
	3	1				2	1	4	6
5	1	2		8	9	4		7	5
7	9		8	9	7		8	9	7
9	8	7	6		5	7	6	8	9
8	6	9			8	9		6	8

page 67

2	4	1		1	2		3	2	1
1	2	3		3	1		1	4	2
3	5		1	2	4	3		5	3
	6	8	9			1	3	6	
		9	7	8	5	2	6		
1	3	2		3	1		4	1	2
2	1	4		9	7		2	3	1
		3	1	6	4	2	5		
	3	1	2			3	1	4	
3	5		3	8	6	1		2	1
2	4	1		7	9		5	9	3
1	2	3		9	8		1	8	2

page 70

7	9	8	5			7	6	8	9
9	8	6	7			5	8	9	7
1	2		4	8	6	9		1	3
3	1			7	9			2	1
8	6	7		9	8		9	6	8
		1	2			1	2		
		3	1			3	1		
6	8	9		3	1		7	6	8
2	1			1	2			2	1
1	3		3	2	4	1		1	3
8	9	3	4			5	3	8	9
9	7	1	2			2	1	9	7

page 68

2	4	1	3		7	9		1	3
1	2	3	5		6	5	8	9	7
3	1			1	3		6	8	9
	5	1	3	2	4	7		2	1
5	3	2	1	4		9	7	6	8
8	9			3	1	8	9		
		8	9	6	5			9	7
6	8	9	7		2	3	1	5	6
4	6		5	7	4	1	2	3	
9	7	8		9	8			1	3
8	9	6	7	5		7	3	2	1
7	5		9	8		9	1	4	2

page 71

7	9	8	5			5	8	7	9
9	8	6	7			7	6	9	8
1	2		4	6	8	9		1	2
3	1			9	7			3	1
8	6	7		8	9		9	8	6
		3	1			3	1		
		1	2			1	2		
6	8	9		9	7		7	6	8
1	3			8	9			1	3
2	1		2	6	8	1		2	1
9	7	8	5			2	1	9	7
8	9	6	1			5	3	8	9

page 69

3	1	2	4			2	4	1	3
5	3	1	2			1	2	3	5
		3	1			3	1		
	6	5		1	3		3	2	
1	2		6	2	1	3		1	2
8	9	6	4			2	6	8	9
9	7	8	5			5	8	9	7
3	1		2	1	3	4		3	1
	3	5		2	1		4	5	
		1	3			1	3		
8	3	2	1			2	1	3	8
9	1	4	2			4	2	1	9

page 72

3	5			8	9		4	2	1
8	9	7		6	7	4	2	1	3
6	8	9	7	5		3	1		
9	7		9	7			6	3	5
		7	6	9	5	8		2	1
7	5	9	8		1	3		1	3
9	7		1	3		1	3	4	2
8	9		2	1	9	7	8		
6	8	3			8	9		2	1
		1	3		6	5	8	7	9
3	1	2	4	8	5		6	9	8
1	2	4		9	7			1	3

page 73

7	9	8	5			5	8	7	9
9	8	6	7			7	6	9	8
1	2		4	6	8	9		1	2
3	1			9	7			3	1
8	6	7		8	9		9	8	6
		1	2			1	2		
		3	1			3	1		
6	8	9		9	8		7	6	8
1	3			7	9			1	3
2	1		9	8	6	1		2	1
8	9	3	6			5	8	9	7
9	7	1	5			4	6	8	9

page 74

	5	3			1	3		5	1
	2	4	1		2	5	1	4	3
9	1	2	3	4		1	2	3	
6	3	1		1	3	2		7	9
8	9	7		2	1		5	1	7
			1	3		7	9	2	8
8	1	4	2		2	1			
7	3	9		1	3		9	8	2
9	7		5	2	1		2	3	1
	2	1	4		8	2	7	9	4
7	4	3	1	2		1	3	7	
9	5		3	1			1	5	

page 75

8	9	7	5			5	7	8	9
6	8	9	7			7	9	6	8
9	7		4	8	9	6		9	7
1	3			9	7			1	3
2	1	8	6			8	6	2	1
		5	7			5	7		
		9	8			9	8		
6	8	7	9			7	9	6	8
1	3			8	9			1	3
2	1		5	9	7	1		2	1
9	7	1	8			2	1	9	7
8	9	3	6			7	3	8	9

page 76

	6	4	1			8	6	3	
	8	9	2			9	4	1	
		8	4	9	7	6	2		
1	2	3		6	8		8	9	7
3	1			8	9			8	9
	6	9	8			1	2	4	
	8	7	9			3	1	2	
9	7			9	7			3	1
8	9	7		8	9		3	1	2
		9	2	6	8	1	4		
	9	8	4			4	9	6	
	6	2	1			2	8	1	

page 77

2	1	3		3	1			9	8
7	5	4	3	1	2	6		7	9
		2	1	4		7	9	8	6
2	5			2	1		8	6	
5	7		1	5	3		7	5	
1	3		3	6		3	5	2	1
4	1	3	2		4	7		3	5
	4	2		7	5	9		4	2
	2	1		9	8			1	3
8	6	5	9		6	9	8		
9	8		4	8	9	7	6	3	5
7	9			9	7		7	8	9

page 78

3	2	1	9	7		1	3	8	9
1	4	2	8	9		2	1	9	7
	1	3		1	2	4		1	3
	6	5	7		1	3		6	8
2	5		9	7			8	7	
1	3		6	8	5	1	9		
		6	8	9	7	3		5	8
	7	9			9	7		7	9
2	1		3	1		2	5	1	
1	3		4	2	3		7	9	
9	8	3	1		2	1	8	6	9
7	9	1	2		1	3	9	8	7

page 79

8	9	7	5			5	7	8	9
6	8	9	7			7	9	6	8
9	7		8	1	3	9		9	7
1	3			2	1			1	3
2	1	6	8			6	8	2	1
		7	5			7	5		
		8	9			8	9		
6	8	9	7			9	7	6	8
2	1			1	3			2	1
1	3		4	2	1	3		1	3
8	9	3	6			6	3	8	9
9	7	1	3			2	1	9	7

page 82

		2	1			2	1		
	2	1	3			1	3	7	
6	9		4	2	1	3		8	3
1	4	2		1	3		8	9	7
2	8	9	7			2	7	5	1
		7	5			3	4		
		8	9			5	9		
9	4	6	8			1	5	9	8
4	2	1		2	1		1	3	2
6	1		2	1	3	4		5	1
	3	2	1			2	1	4	
		1	3			1	3		

page 80

5	1	2	3		1	2		5	9
3	2	4	1		3	1		6	7
	3	1		6	2		9	7	
9	5		3	1		3	6	8	9
7	4	9	6	8		5	8	9	7
		7	8	9	6	4		1	3
3	1		9	7	1	2	8		
7	9	8	5		3	1	9	4	2
9	8	6	7		9	7		3	1
	7	9		3	2		6	8	
7	6		1	2		1	9	7	2
9	5		3	1		3	8	9	1

page 83

3	1	2	4			2	4	1	3
5	3	1	2			1	2	3	5
		3	1			3	1		
	6	5		3	1		3	2	
1	2		4	1	2	3		1	2
8	9	3	6			2	1	9	7
9	7	5	8			7	5	8	9
3	1		5	3	1	4		3	1
	3	5		1	2		4	5	
		1	3			1	3		
7	3	2	1			2	1	3	8
9	1	4	2			4	2	1	9

page 81

9	5		2	1	3		1	3	
7	4	3	1	5	2		8	6	9
	2	1	4			6	9	8	7
2	1		3	6	5	8	7	9	
1	3	4		8	7	9		7	9
		2	5	9		7	9	5	8
2	5	1	3		9	5	8		
1	3		1	2	3		6	5	7
	1	3	2	4	5	9		8	9
3	2	1	4			8	9	6	
1	4	2		5	3	6	7	9	8
	9	7		9	8	7		7	9

page 84

9	7	8					8	9	7
8	9	6	7			7	6	8	9
4	6		3	1	2	5		4	6
6	8		1	2	4	3		6	8
7	5	8		3	1		9	7	5
		1	2			1	2		
		3	1			3	1		
7	5	9		1	3		8	7	5
6	8		9	4	2	5		6	8
4	6		4	2	1	3		4	6
9	7	8	6			6	8	9	7
8	9	6					6	8	9

page 85

9	8	3	6			3	9	8	6
7	9	1	3			1	7	6	2
3	1		1	9	8	2		9	7
2	4	1		7	9		2	4	1
1	2	3					1	7	3
		4	3			2	4		
		2	1			1	3		
3	7	9					8	9	6
6	9	8		9	8		9	7	3
1	3		6	7	9	8		3	1
2	4	1	7			9	3	8	4
4	8	3	9			7	1	4	2

page 88

	9	7			3	1		9	8
5	7	1		3	1	2		7	9
9	8	2	3	1	5		9	8	6
		4	1	2		8	7		
	7	9		5	9	7			
9	8	6	1		8	9	6	4	1
7	9	8	3	5		5	1	2	3
			2	1	3		3	1	
		8	4		2	1	4		
8	6	9		4	5	3	2	1	8
7	9		2	3	1		8	6	9
9	8		5	1			9	4	

page 86

7	9	8	5			5	8	7	9
9	8	6	7			7	6	9	8
3	1		8	2	1	9		3	1
1	2			1	3			1	2
8	6		1	4	2	5		8	6
		9	8			9	8		
		7	9			7	9		
6	8		3	2	1	8		6	8
2	1			1	3			2	1
1	3		1	4	2	3		1	3
8	9	2	7			2	3	8	9
9	7	1	2			6	1	9	7

page 89

9	8	7	5			1	3	8	9
8	6	9	7			2	1	9	7
7	9			1	2			6	8
1	3		2	3	1	4		1	5
	4	7	5			7	5	4	
		8	9			8	9		
		9	7			9	7		
	7	6	8			6	8	7	
2	1		3	1	2	5		1	2
1	3			3	1			3	1
9	8	3	1			2	1	9	7
7	9	1	2			1	3	8	9

page 87

	4	7		5	3		9	8	
2	1	3		3	1		5	2	4
4	2	5		1	2		3	1	2
1	3		7	2	4	6		3	1
3	5	2	1			1	2	5	3
		9	8			9	7		
		1	3			3	1		
5	8	7	9			8	9	7	5
2	4		5	8	6	7		4	2
1	2	6		5	7		6	1	3
3	1	9		7	9		8	2	1
	9	8		9	8		9	8	

page 90

9	8	7	5			9	7	2	1
8	6	9	7			8	9	1	3
7	9		3	1	2	5		9	7
1	3		1	2	4	3		4	2
	7	8		3	1		2	3	
		2	1			2	1		
		1	3			1	3		
	7	9		2	4		5	7	
5	2		4	1	2	3		8	9
8	6		2	3	1	5		9	7
9	8	6	7			9	7	1	2
7	9	8	5			8	9	3	1

page 91

9	3	1			3	1		5	1
8	1	2	3		4	5	1	2	3
	2	4	1	3	5		3	1	
1	5	3		1	2	4		3	1
3	4		3	4		5	1	4	2
2	7		1	2		7	3		
		3	4		7	9		2	4
3	4	1	2		9	8		3	1
1	2		6	9	8		5	1	2
	1	2		7	5	9	8	6	
2	3	1	4	6		7	9	8	2
1	5		9	8			7	5	1

page 94

8	9	6	7			5	8	7	9
9	7	8	5			7	6	9	8
1	3		4	6	8	9		1	2
2	1			9	7			3	1
6	8	7		8	9		9	8	6
		2	1			2	1		
		1	3			1	3		
6	8	9		9	7		7	6	8
2	1			8	9			2	1
1	3		5	6	8	9		1	3
8	9	5	7			6	3	8	9
9	7	1	2			5	1	9	7

page 92

1	3		9	7		8	9	6	
9	7	8	5	6		5	7	8	9
8	9	6		9	7			1	3
2	1				3	9	1	4	2
4	2	1	3	5		7	3	2	1
		2	1	4	8			9	7
7	9			2	6	8	9		
3	1	9	8		5	9	7	6	8
1	2	7	9	3				7	5
9	8			7	9		8	9	7
8	6	5	9		5	7	6	8	9
	7	9	8		8	9		4	6

page 95

8	9	7	5			5	7	8	9
6	8	9	7			7	9	6	8
9	7			3	1			9	7
1	3		3	1	2	4		1	3
2	1	8	6			8	6	2	1
		5	7			5	7		
		9	8			9	8		
6	8	7	9			7	9	6	8
1	3		2	3	1	6		1	3
2	1			1	2			2	1
8	9	3	1			4	1	9	7
9	7	1	2			6	3	8	9

page 93

9	7	8					8	9	7
8	9	6	4			7	6	8	9
6	8		5	9	7	8		6	8
4	6		7	8	9	6		4	6
7	5	6					6	7	5
		9	8			9	8		
		7	9			7	9		
7	6	8					5	7	6
4	8		5	9	7	8		4	8
6	5		7	8	9	6		6	5
9	7	8	6			5	8	9	7
8	9	6					6	8	9

page 96

1	2		3	9	7		5	9	
5	3	4	1	6	2		7	8	9
	1	2		8	3	2	1	6	4
		1	3		1	5		3	1
9	8		9	8		1	8		
7	9	8		9	8		9	8	
	7	9		7	9		7	9	8
		7	8		7	3		7	9
2	7		9	8		1	2		
4	8	9	7	6	1		1	2	
1	2	3		4	2	1	3	5	6
	1	5		9	4	6		1	3

page 97

9	8	7					9	6	8
8	6	9	7			6	7	8	9
7	9		9	3	1	8		9	7
5	1	2		1	2		2	1	5
	3	1	2			2	1	3	
		8	5			7	5		
		5	1			8	6		
	5	4	3			9	8	5	
5	1	3		3	1		9	7	5
7	9		8	1	2	9		9	7
9	8	7	6			7	9	6	8
8	6	9					7	8	9

page 98

4	1	2	3	5			1	5	
6	2	4	1	3		1	3	4	2
	3	1			1	2		1	3
9	7			1	2			2	1
6	4	1	2	3	5		2	3	
8	9	3	4		3	6	1		
		7	9	6		9	7	2	1
	7	9		5	7	8	9	6	3
9	8			8	9			9	7
7	9		8	9			9	7	
8	6	7	9		4	8	2	1	9
	5	9			2	9	1	3	7

page 99

	1	3		4	1	2		6	1
2	4	1		2	3	1	7	9	8
1	2	7	6	3			9	8	
		9	8		5	1		4	2
9	5		7	1	2	3		3	1
7	4	2	9	3	1		9	7	
	3	1		9	7	6	8	5	4
3	1		7	8	3	9		1	3
1	2		9	5		8	9		
	7	9			8	7	5	9	3
7	9	8	6	3	5		2	3	1
9	8		2	1	4		1	5	

page 100

7	9	8	5			7	6	8	9
9	8	6	7			5	8	9	7
1	2		8	3	1	9		1	3
3	1			1	2			2	1
8	6		5	2	4	3		6	8
		1	3			1	3		
		2	1			2	1		
6	8		6	3	1	4		6	8
1	3			1	2			1	3
2	1		9	2	4	8		2	1
9	7	5	8			7	6	8	9
8	9	3	6			5	4	9	7

page 101

8	4	7				5	1	3	2
6	8	9	7			3	2	1	4
9	7		4	1	2		7	9	
	2	4		3	1	5	9	8	7
5	3	1	2		3	4		5	9
3	1	2	4			2	4		
		3	1			3	1	2	5
9	5		3	1		1	2	4	3
7	8	9	5	2	1		3	5	
	9	7		4	3	1		1	2
9	1	2	7			2	7	3	1
8	3	1	9				9	7	4

page 102

1	2	3	5			5	3	1	2
2	4	1	3			3	1	2	4
3	1		4	1	3	2		3	1
5	3	2		2	1		2	5	3
		1	2			1	3		
1	6	8	9			7	9	1	2
3	8	9	7			9	8	3	1
		3	1			2	1		
3	5	4		1	3		4	3	5
4	2		6	2	1	4		1	3
1	3	2	5			3	1	4	2
2	1	4	3			5	3	2	1

page 103

	8	9		1	3		9	7	
	6	7	1	4	2	3	8	5	
1	3		3	2	1	5		8	5
8	9	6		3	5		4	2	1
6	7	1	3			7	8	9	3
		4	2			6	7		
		2	1			8	9		
7	2	3	5			9	5	8	3
9	6	8		3	1		2	4	1
3	1		6	8	9	3		9	7
	4	2	5	9	7	1	8	6	
	3	1		1	2		9	7	

page 104

5	9	6			1	2	4		
9	8	7		7	2	8	9	6	1
		9	7	8		9	7	8	2
3	1	8	9		2	1			
1	2	4			1	3	7	6	2
7	9			2	4		9	8	6
9	4	7		6	8			9	7
8	6	9	7	3			2	4	1
			5	1		2	1	7	3
2	8	7	9		2	1	3		
1	6	9	8	2	7		5	3	1
		4	2	1			4	1	2

page 105

7	9	8	5			7	6	8	9
9	8	6	7			5	8	9	7
1	2		4	6	8	9		1	3
3	1			9	7			2	1
8	6	7		8	9		9	6	8
		1	3			1	3		
		2	1			2	1		
6	8	9		8	9		7	6	8
1	3			9	7			1	3
2	1		9	6	8	1		2	1
8	9	6	7			6	3	8	9
9	7	1	2			3	1	9	7

page 106

7	8	9		2	1			9	7
3	1	7	2	4	6		7	8	9
9	4		1	3		7	9		
	2	1			4	2		5	9
9	3	5	1	4	2		3	4	7
8	5		3	2	1		1	2	
	7	9		5	3	1		9	7
7	9	8		9	7	3	8	6	2
2	6		3	1			9	7	
		9	8		8	9		1	2
9	7	8		5	6	7	9	8	4
8	9			9	7		7	3	1

page 107

1	2	3	5			5	3	1	2
2	4	1	3			3	1	2	4
3	1		6	1	2	4		3	1
5	3	9		3	1		9	5	3
	5	8					7	6	
		6	8			2	4		
		7	9			1	3		
	4	3					2	5	
3	5	1		1	2		1	3	5
4	2		4	3	1	2		1	3
1	3	2	5			3	1	4	2
2	1	4	3			5	3	2	1

page 108

1	2	3	5			5	3	1	2
2	4	1	3			3	1	2	4
3	1		2	8	6	1		3	1
5	3	9		9	8		9	5	3
	5	8		7	9		7	6	
		6	8			2	4		
		7	9			1	3		
	4	3		3	1		2	5	
3	5	1		1	2		1	3	5
4	2		6	2	4	1		1	3
1	3	2	5			3	1	4	2
2	1	4	3			5	3	2	1

page 109

		1	3			5	7		
2	1	7	9			9	8	6	7
1	3	9	8			7	9	8	5
		2	1	4	3	8	6		
2	4	3		2	1		5	2	4
3	1							3	1
1	2							1	2
5	3	2		2	1		4	5	3
		1	2	4	3	5	7		
5	8	9	7			8	6	9	7
7	6	8	9			9	8	7	5
		3	1			7	9		

page 110

	6	8	9			9	6	8	
1	8	9	7			7	8	9	2
3	9	7		9	7		5	7	1
	4	5	7	8	9	3	1	6	
			9	6	8	1			
7	9	8	6			4	6	9	8
5	7	9	8			5	8	7	9
			5	7	9	8			
	7	5	3	9	8	2	1	6	
9	6	8		8	6		6	8	9
7	8	9	1			3	8	9	7
	9	7	3			1	5	7	